До нашого дорогого внука
Маркіяна) від
Баби й дідо

ДИТЯЧИЙ СЛОВНИК

UKRAINIAN HERITAGE DICTIONARY

ÉDITIONS RÉNYI INC.

355 Adelaide Street West, Suite 400, Toronto, Ontario Canada M5V 1S2

Ukrainian Heritage Dictionary

Copyright © 1989 Éditions Rényi Inc.

Illustrated by Kathryn Adams, Pat Gangnon, Colin Gilles, David Shaw and Yvonne Zan

Designed by David Shaw and Associates

Cover illustration by Colin Gilles

Colour separations by New Concept Limited

Printed in Singapore by Khai Wah Litho Pte Limited

Typesetting by The Basilian Press

English language editors: P. O'Brien-Hitching, R. LeBel , P. Renyi, K.C. Sheppard

Ukrainian edition by Daria Andrusieczko, Alexandra Shanta, Morris Diakowsky, Nick Hawrysch, Dr. M. Pavliuc, Lesia Savedchuk

Ukrainian Heritage Dictionary   ISBN 0-921606-10-9   ДИТЯЧИЙ СЛОВНИК

INTRODUCTION

Some of Canada's best illustrators contributed to the Ukrainian Heritage Dictionary, which was carefully designed to appeal to children. With the Ukrainian Heritage Dictionary, learning new words becomes a pleasure.

Its unusually large number of terms – 3336 – makes the Ukrainian Heritage Dictionary a flexible teaching tool incorporating modern pedagogical and social concepts. With the Ukrainian Heritage Dictionary, children can acquire dictionary skills at an early age. Because the vocabulary it encompasses is so broad, this dictionary can also be used to teach English as a second language to older children and adults. Indeed, the impish sense of humor that pervades the Ukrainian Heritage Dictionary makes it quite suitable for adult ESL teaching.

NOTE TO EDUCATORS

In a children's dictionary, the most difficult decision is usually which words to include and which ones to leave out. For the Ukrainian Heritage Dictionary, word selection was based partly on word frequency analysis of English usage (in order to include the most commonly used terms), and partly on thematic clustering (in order to cover major fields of activity or interest).

This was rendered more complex by the decision to systematically illustrate the meanings. Although the degree of abstraction was kept reasonably low, it was deemed necessary to include terms such as "to expect", "to forgive" and "smart", which turned out to be virtually impossible to illustrate given the space and other constraints. Instead of dropping these words, we decided to provide explanatory sentences that create a context.

The North-American spelling was used throughout, but the British spelling was also given and flagged with an asterisk (favor/favour*).

The alphabetical index at the end of the book lists the terms with the number of the corresponding illustration. Teachers may want to use this feature to expand the children's numeracy skills (for example, by asking the child to match an index number with the actual illustration, by attaching numbers to certain words in an English text and requiring the child to find the correct illustration, and so on).

Great care was taken to ensure that any contextual statements made be factual, have some educational value and be compatible with statements made elsewhere in the book. Lastly, from a strictly psychological viewpoint, the little girl called Lesia was not made into a paragon of virtue; children will readily identify with her imperfections.

ДО МОЇХ ДРУЗІВ

Ця книжка — Дитячий Словник — це ваш перший справжній словник ... але для вас вона буде розвагою.

Мене звуть Леся. Я маленька дівчинка. Я ходжу до школи, вчуся плавати, я маю маленького брата й багато, багато різних думок. Якщо ви хочете зустріти мого тата, адмірала, подивіться на сторінку праворуч. Ви побачите його внизу сторінки. Моя мама — на наступній сторінці, вгорі. Якщо хочете зустріти мене, пошукайте слово „спокійна" на 412-му рисунку.

Зі мною ви навчитеся багато корисних і цікавих слів, а також деяких чисел.

П'ятеро дорослих ілюстраторів мали багато приємности, роблячи малюнки. Я теж нарисувала малюнок (зебру). Чи ви знаєте, яке моє останнє слово?

Цей словник був написаний спеціяльно для моїх друзів. Я надіюся, що ви всі будете мати з нього користь.

Леся

рахівниця

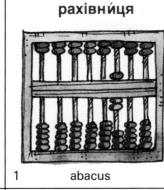

1   abacus

про, приблизно

Розкажи мені **про** це.
Це бере **приблизно** годину.

Tell me about it.
It takes about an hour.

2   about

Яблуко **над** головою.

3   above

Павло **відсутній** сьогодні.

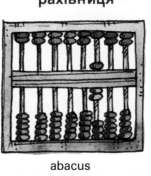

4   absent

Кожне авто має **акселератор.**

5   accelerator

акцент, наголос

Жак говорить з французьким **акцентом.**
Поклади **наголос** на перший склад.

Jacques speaks with a French accent.
Put the accent on the first syllable.

6   accent

нещасливий випадок

7   accident

акордеон

8   accordion

Всі вони **обвинуватили** Надю.

9   to accuse

виновий **туз**

10   ace

У мене **болить** голова.

11   My head aches.

Кислота може обпекти шкіру.

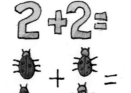

12   acid

Із **жолудів** виростають дуби.

13   acorn

акробатка

14   acrobat

навпроти

Павло живе **навпроти.**

Pavlo lives across the street.

15   across

Додай разом.

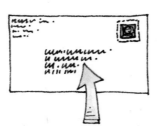

16   to add

Це Лесина **адреса.**

17   address

Лесин тато — **адмірал.**

18   admiral

Я тебе **палко кохаю.**

19   to adore

Доро́слі це ті, що вже ви́росли.

20 adult

Ходи́ вперед королем.

21 to advance

Чи висо́кий ріст дає́ **перева́гу?**

22 advantage

Ле́сина ма́ма лю́бить **приго́ди.**

23 adventure

Він **боı́ться.**

24 He is afraid.

А́фрика — контине́нт.

25 Africa

після, за

Мо́жеш гра́тися **після** вече́рі.
Повторı́ть **за** мно́ю.
Біжи́ **за** м'яче́м!

You can play after dinner.
Repeat after me!
Go after the ball!

26 after

Пообı́дній час почина́ється о 12-тій годи́ні.

27 afternoon

зно́ву, знов

Загра́й **зно́ву,** Сам!
А **зно́в-таки́,** мо́же загра́єш щось і́нше...

Play it again, Sam!
Then again, you could play something different...

28 again

Мурко́ тре́ться **об** Андрı́єву но́гу.

29 to rub against

Яка́ різни́ця у **вı́ці!**

30 age

Атле́ти ду́же **спри́тні.**

31 agile person

на мілинı́

32 aground

перед, наперед

Оле́нка сиди́ть **перед** Тара́сом.
Пляну́й **наперед** насту́пні вака́ції.

Olenka sits ahead of Taras.
Plan ahead for your next holiday.

33 ahead

допомага́ти

34 to provide aid

Чи вона́ до́бре **цı́литься?**

35 to aim

Змı́й літа́є у **повı́трі.**

36 air

надувни́й матра́ц

37 air mattress

Кома́ха під **гермети́чним** ковпако́м.

38 airtight

Здає́ться, що літа́к в бідı́.

39 airplane/aeroplane*

Літаки́ приземля́ються, в **аеропорту́.**
40   airport

Мо́жеш піти́ **прохо́дом.**
41   aisle

буди́льник
42   alarm clock

фото**альбо́м**
43   album

Ха́та **у вогні́.**
44   alight

Одна́ ри́ба **жива́** напе́вно.
45   alive

Я хо́чу їх **всі.**
46   I want them **all.**

Кіт у вузько́му **прову́лку.**
47   alley

аліґа́тор
48   alligator

мигда́ль
49   almond

Бровко́ **ма́йже** дістає́ до кі́стки.
50   almost

Чому́ він сиди́ть **сам?**
51   alone

Ходи́ **ра́зом** зі мно́ю!
52   along

вго́лос
53   aloud

алфаві́т, абе́тка
А Б В Г Ґ Д Е Є Ж З И І Ї Й
К Л М Н О П Р С Т У Ф Х Ц
Ч Ш Щ Ю Я Ь
а б в г ґ д е є ж з и і ї й к л
м н о п р с т у ф х ц ч ш щ
ю я ь
54   alphabet

Чи я **вже** му́шу йти?
55   Do I have to go **already?**

Зі мно́ю все **гара́зд.**
56   I am **alright.**

Я **теж** хо́чу тро́хи.
57   I **also** want some.

алюмі́нієва драби́на
58   **aluminum**/aluminium* ladder

Я **за́вжди** па́даю.
59   I **always** fall down.

амбуля́нс, швидка́ допомо́га	вовк **між** ві́вцями	я́кір	старода́вні руї́ни
60 ambulance	61 wolf **among** sheep	62 anchor	63 ancient
кут	Чому́ Стах **серди́тий**?	твари́ни	щи́колотка, кі́сточка
64 angle	65 He is **angry**.	66 animals	67 ankle
оголо́шувати	ще **і́нший** са́ндвіч	**Ві́дповідь** є...	мура́шка
68 to **announce**	69 **another** sandwich	70 The **answer** is...	71 ant
Анта́рктика	антило́па	оле́нячі ро́ги	Я не ма́ю **жо́дних** гро́шей.
72 Antarctic	73 antelope	74 antlers	75 I do not have **any** money.
Вона́ їсть **бу́дь-що.**	Стах серди́тий, бо він не мо́же **ніку́ди** піти́.	Одна́ я́года **окре́мо** від гро́на.	ма́впа
76 It eats **anything**.	77 He cannot go **anywhere**.	78 apart	79 ape

пáсіка	перепросѝти	виглядàти, з'явѝтися	аплодувáти
	Перепросѝти — знáчить сказáти, що ти жалкýєш. **Перепрóшую**, що я спізнѝвся. To apoligize means to say you are sorry. I apologize for being late!	Він **з'явѝвся** нізвíдки. **Виглядáє**, що пáдає сніг. Королéва **з'явѝлася** на телебáченні. He appeared out of nowhere. It appears to be snowing. The Queen appeared on television.	
80 apiary	81 to apoligize / apologise*	82 to appear	83 to applaud

я́блуко	качáн з я́блука	наближáтися	абрикóса
84 apple	85 apple core	86 to approach	87 apricot

Дощí **квітнéві** принóсять квíти травнéві.	фартýх	аквáріюм	áрка
88 April	89 apron	90 aquarium	91 arch

архітéктор	В Áрктиці дýже хóлодно.	сперечáтися	рукá
92 architect	93 Arctic	94 to argue	95 arm

фотéль, крíсло	Сер Ґалаґáд нóсить **пáнцер.**	пахвá	довкругѝ, довкóла
			Навкóло свíту за вісімдесят днíв. **Довкóла** нас óзеро. Around the world in eighty days. The lake is all around us.
96 armchair	97 armor / armour*	98 armpit	99 around

укладáти квíти

100   to **arrange** flowers

Полíція **арештувáла** Стáха.

101   to **arrest**

прибýти

102   to **arrive**

стрілá

103   **arrow**

артишóк

104   **artichoke**

мистéць

105   **artist**

як

Як тíльки ви забажáєте.
Гáрна, **як** картúна.

As soon as you like.
As pretty as a picture

106   **as**

пóпіл

107   **ash**

попíльнúчка

108   **ashtray**

Áзія — це континéнт.

109   **Asia**

Питáтися про нáпрямок.

110   to **ask** for directions

Марíйка і Пушóк мíцно **сплять.**

111   **asleep**

шпарáґи, спáржа

112   **asparagus**

Мóже двí **аспірúни** помóжуть.

113   **aspirin**

Гриць **здивувáв** Оксáну.

114   to **astonish**

астронáвт

115   **astronaut**

астронóм

116   **astronomer**

вдóма, на, зáраз

Олéнка з бáтьком **вдóма.**
Вонú дúвляться **на** картúну.
Зáраз же йди до лíжка!

Clenka is at home with her dad.
They are looking at the picture.
Go to bed at once!

117   **at**

атлéт

118   **athlete**

áтлас

119   **atlas**

атмосфе́ра землі́	**а́том**	**прикріпля́ти**	**уважа́й!**
120 atmosphere	121 atom	122 to attach	123 Pay attention!
Що ви склада́єте на **гори́щі?**	**пу́бліка**	**Се́рпень** — це лі́тній мі́сяць.	Моя́ **тітка** це сестра́ моє́ї ма́ми.
124 attic	125 audience	126 August	127 My aunt is my mother's sister.
Австра́лія — це о́стрів-контине́нт.	**а́втор**	**автомати́чне** пробу́дження	**о́сінь**
128 Australia	129 author	130 automatic	131 autumn
лявіна	**авока́до**	Чому́ Стах **не спи́ть?**	Її **нема́.**
132 avalanche	133 avocado	134 awake	135 She is away.
жахли́вий смо́рід	**незгра́бна** осо́ба	**соки́ра**	**Вісь** з'є́днує два ко́леса.
136 an awful smell	137 an awkward person	138 axe	139 axle

B

Немовля́та ду́же ми́лі.

140 baby

дитя́чий візо́к

141 baby carriage

Почу́хай мені́ **спи́ну**.

142 back

беко́н з я́йцями

144 bacon and eggs

зіпсу́те я́блуко

145 bad apple

відзна̀ка

146 badge

зда́ти наза́д

143 to back up

що в цій **то̀рбі?**

147 bag

Прина̀да прива̀блює ми́шу.

148 bait

пекти́

149 to bake

пе́кар

150 baker

пека́рня

151 bakery

до́бра **рівнова́га**

152 good balance

балько́н

153 balcony

Тара́с **ли́сий**.

154 bald

м'яч

155 ball

балери́на

156 ballerina

бале́т

157 ballet

бальо́н

158 balloon

повітря́на ку́ля

159   hot air **balloon**

бана́н

160   banana

пов'я́зка

161   band

орке́стра

162   musical **band**

З **перев'я́зкою** ста́ло кра́ще.

163   bandage

грю́кати

164   to bang

Миха́сь спуска́ється на **пору́ччі**.

165   banister

Чи ти ма́єш **ба́нкове** ко́нто?

166   bank

шта́нґа

167   bar

Бар ті́льки для доро́слих!

168   bar

колю́чий дріт

169   barbed wire

Перука́р стриже́ Миха́йликове воло́сся.

170   barber

одна́ нога́ **бо́са**

171   one **bare** foot

До́бре ку́пно за цю ціну́.

172   bargain

ба́ржа

173   barge

га́вкати

174   to bark

Ячмі́нь росте́ на фа́рмі.

176   barley

стодо́ла

177   barn

Солда́ти живу́ть у **бара́ках**.

178   barracks

кора́

175   bark

бо́чка олії
179 barrel

ду́ло пісто́ля
180 barrel

прико́лка для воло́сся
181 barrette

бар'є́р
182 barrier

осно́ва коло́ни
183 base

бейсбо́льна **ба́за**
184 base

бейсбо́л
185 baseball

пивни́ця, підва́л
186 basement

васи́льки
187 basil

ко́шик
188 basket

баскетбо́льний м'яч
189 basketball

бейсбо́льний **кийо́к**
190 bats

Я **купа́юся.**
192 I am taking a **bath.**

ва́нна кімна́та, лазни́чка
193 bathroom

ва́нна
194 bathtub

Кажани́ літа́ють вночі́.
191 bat

Батаре́йка для твого́ ра́діо.
195 battery

зато́ка
196 bay

Ма́ма вжива́є **лавро́вий лист,** як ва́рить.
197 bay leaves

база́р
198 bazaar

бу́ти, є

Обіця́єш **бу́ти** че́мною?
Я **є** че́мна.
Тара́с і Богда́н **є** че́мні,
але чи Ле́ся че́мна?

Do you promise to be good?
I am good.
Taras and Bohdan are good,
but is Lesia good?

199　　to be

пляж

200　　beach

ці́лий разо́к нами́ста

201　　bead

дзюб

202　　beak

про́мінь сві́тла

203　　beam of light

квасо́ля

204　　beans

Ведмі́дь Мишко́ ї́здить на велосипе́ді.

205　　bear

до́вга борода́

206　　beard

Що за страшни́й **звір**!

207　　beast

Ну́ся **б'є** в бараба́н.

208　　to beat

га́рна

209　　beautiful

Бобри́ буду́ють зага́ти.

210　　beaver

Я пла́чу **тому́**, що загуби́ла ко́тика.

211　　I am crying because...

ста́ти

Гу́сениця
стає́
мете́ликом.

212　　to become

лі́жко

213　　bed

лі́жкова ля́мпа

214　　bed lamp

спа́льня

215　　bedroom

Бджола́ корисна́ кома́ха.

216　　bee

бук

217　　beech

Бджо́ли живу́ть у **ву́ликах**.

218　　beehive

ку́холь пи́ва

219   beer

Буряки́ росту́ть у землі́.

220   beet

жук

221   beetle

Поми́й ру́ки **пе́ред** обі́дом.

222   Wash your hands **before** dinner.

жéбрати

223   to beg

почина́тися, поча́ти

На **поча́ток**, дава́й поснídáємо.
Лéсина лéкція піа́но **почина́ється** о деся́тій годи́ні.

To begin with, let's have breakfast!
Lesia's piano lesson begins at ten o'clock.

224   to begin

О́ля **пово́диться** чéмно.

225   to behave

Уля́на хова́ється **за** дéревом.

226   behind

бежо́вий ко́лір

227   beige

Я **ві́рю** в драко́нів.

228   I **believe** in dragons.

дзвін

229   bell

пуп

230   belly button

Він **нале́жить** мені́.

231   He **belongs** to me.

Кіт **під** столо́м.

232   below

пас, по́яс

233   belt

ла́вка

234   bench

За́крут доро́ги.

235   bend

згина́ти

236   to bend

берéт

237   beret

А́нна стої́ть **бі́ля** дéрева.

238   beside

крім, о́крім

Ти нічо́го бі́льше не хо́чеш **крім** десе́рту?
О́крім то́го, їж ме́нше цу́кру.

Should you not eat something else besides dessert?
Besides, you should not eat so much sugar.

239   besides

найкра́ща

240   best

кра́ще

Софі́йка пи́ше **кра́ще**, ніж Тара́с.
Тара́с ліни́вий. Він мо́же писа́ти **кра́ще.**

Sofiyka writes better than Taras.
Taras is lazy, he can do better.

241   better

Пили́пко йде **між** двома́ ка́менями.

242   between

дитя́чий **нагру́дник**

243   bib

велосипе́д

244   bicycle

вели́кий

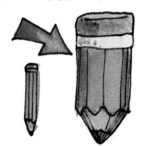

245   big

Ве́ло — це велосипе́д.

246   bike

банкно́та

247   bill

рекля́мна до́шка

248   billboard

Білья́рд — це гра.

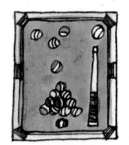

249   billiards

обв'я́зувати

250   to bind

біно́кль

251   binoculars

птах

252   bird

наро́дження

При **наро́дженні** Ле́ся ва́жила сім фу́нтів.
Наро́дження на́ції.
Кі́шка **народи́ла** чотирьо́х кошеня́т.

Lesia weighed seven pounds at birth.
The birth of a nation
The cat gave birth to four little kittens.

253   birth

Щасли́вого **дня наро́дження!**

254   birthday

біскві́т

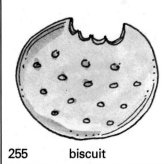

255   biscuit

Левко́ **вкуси́в** са́ндвіч.

256   to bite

Він бага́то **відкуси́в.**

257   bite

гірки́й, гі́рко

Пи́во ма́є **гірки́й** смак.
Ле́ся **гі́рко** пла́кала, коли́ загуби́ла свою́ ля́льку.

Beer has a bitter taste.
Lesia wept bitter tears when she lost her favorite doll.

258   bitter

чо́рний ко́лір	**ожи́на**	**чо́рний дрізд**	Ко́стик нарисува́в це на **табли́ці.**
259 black	260 blackberry	261 blackbird	262 blackboard
чо́рна порі́чка	**кова́ль**	**Ле́зо** го́стре!	**обвинува́тити** Та́то **обвинува́тив** Ле́сю, але́ вона́ не ви́нна. Він пови́нен би **обвинува́тити** Карпа́. Dad blamed Lesia, but she did not do it. Dad should blame Karpo.
263 blackcurrant	264 blacksmith	265 blade	266 to blame
чи́ста сторі́нка	**ко́вдра**	**ви́бух**	**виса́джувати в пові́тря**
267 blank page	268 blanket	269 blast	270 to blast
Поже́жники погаси́ли **поже́жу.**	**жаке́т**	**Вибі́лювач** помага́є пра́ти білизну.	Її ніс **крива́вить.**
271 blaze	272 blazer	273 bleach	274 to bleed
змі́шувач	**Сліпи́й** не мо́же ба́чити.	**морга́ти**	**Пухи́р** боли́ть!
275 blender	276 blind	277 to blink	278 blister

хуртови́на 279 blizzard	Ти гра́єшся **ку́биками?** 280 block	**місько́й кварта́л** 281 a city block	Поліца́й **загоро́джує** Іва́нові доро́гу. 282 to block
біля́ве воло́сся 283 blond hair	Перелива́ння **кро́ви.** 284 blood	Кві́тка в по́вному **ро́зквіті.** 285 bloom	**цвісти́** 286 to blossom
чорни́льна **пля́ма** 287 blot	**блю́зка** 288 blouse	уда́р по голові́ 289 a blow to the head	**ду́ти** 290 to blow
си́ній ко́лір 291 blue	**чорни́ці** 292 blueberries	**тупи́й** Цей ніж зана́дто **тупи́й,** щоб рі́зати помідо́р. This knife is too blunt to cut the tomato. 293 blunt	Ка́тя ле́гко **червоні́є** 294 to blush
каба́н 295 boar	**до́шка** 296 board	**хвали́тися** Ві́ктор лю́бить **хвали́тися.** Він не мо́же **похвали́тися** своє́ю скро́мністю. Viktor likes to boast. His modesty is nothing to boast about. 297 to boast	**чо́вен** 298 boat

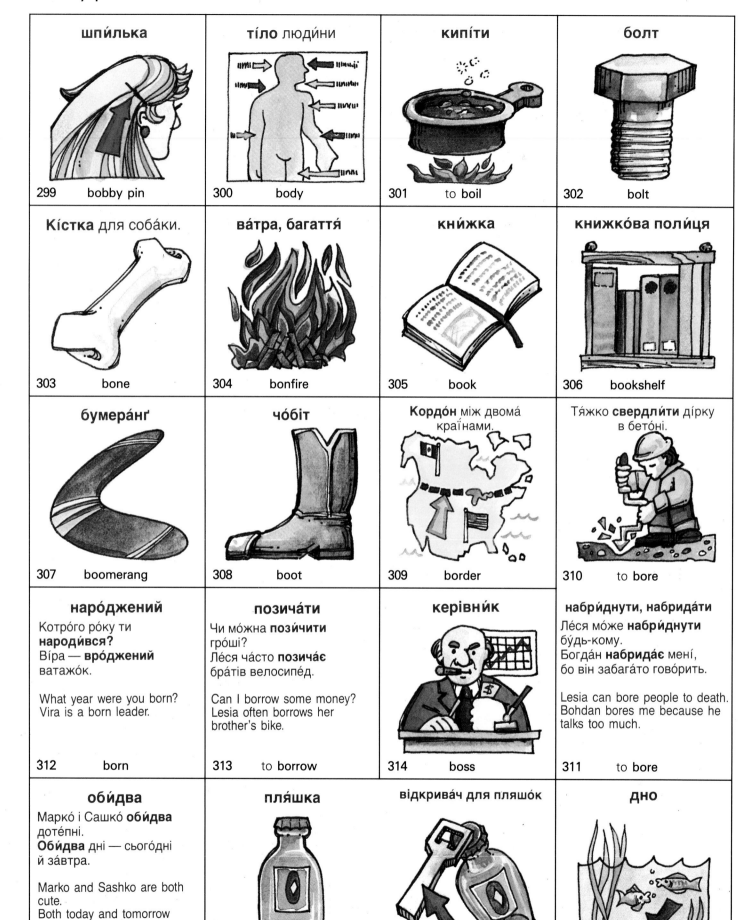

шпи́лька
299   bobby pin

ті́ло люди́ни
300   body

кипі́ти
301   to boil

болт
302   bolt

Кі́стка для соба́ки.
303   bone

ва́тра, багаття́
304   bonfire

кни́жка
305   book

книжко́ва поли́ця
306   bookshelf

бумера́нґ
307   boomerang

чо́біт
308   boot

Кордо́н між двома́ краї́нами.
309   border

Тя́жко свердли́ти ді́рку в бето́ні.
310   to bore

наро́джений
Котро́го ро́ку ти **народи́вся?**
Ві́ра — **вро́джений** ватажо́к.

What year were you born?
Vira is a born leader.

312   born

позича́ти
Чи мо́жна **пози́чити** гро́ші?
Ле́ся ча́сто **позича́є** бра́тів велосипе́д.

Can I borrow some money?
Lesia often borrows her brother's bike.

313   to borrow

керівни́к
314   boss

набри́днути, набрида́ти
Ле́ся мо́же **набри́днути** будь-кому.
Богда́н **набрида́є** мені́, бо він забага́то гово́рить.

Lesia can bore people to death.
Bohdan bores me because he talks too much.

311   to bore

оби́два
Марко́ і Сашко́ **оби́два** доте́пні.
Оби́два дні — сього́дні й за́втра.

Marko and Sashko are both cute.
Both today and tomorrow

315   both

пля́шка
316   bottle

відкрива́ч для пляшо́к
317   bottle opener

дно
318   bottom

валу́н

319   boulder

М'яч **відбива́ється** від землі.

320   to bounce

буке́т кві́тів

321   bouquet

лук і стріла́

322   bow

ми́ска

324   bowl

Що в цій **коро́бці?**

325   box

боксе́р

326   boxer

мете́лик

323   bow tie

хло́пець

327   boy

ста́ник

328   bra

брасле́т

329   bracelet

Ма́рта **хва́литься** нови́ми за́бавками.
Та́то ка́же їй не **хвали́тися.**

Marta brags about her new toys.
Her dad tells her not to brag.

330   to brag

мо́зок

331   brain

Ко́жне авто́ ма́є **га́льма.**

332   brake

гальмува́ти

333   to brake

Гі́лка вели́кого де́рева.

334   branch

відва́жний

Денти́ст ка́же, що ти ду́же **відва́жний.**

The dentist says you are very brave.

335   brave

хліб

336   bread

розбива́ти

337   to break

полама́тися

338   to break down

Грабіжник **вломи́вся** до ха́ти.

339   to **break in**

сні́дання, сніда́нок

340   **breakfast**

неприє́мний **за́пах з ро́та**

341   bad **breath**

ди́хати

342   to **breathe**

Чи ваш дім зро́блений з **це́гли?**

343   **brick**

Му́лярка Петру́ся будує стіну́ з **це́гли.**

344   **bricklayer**

Молода́ соромли́ва

345   **bride**

Та́кож і **молоди́й**

346   **bridegroom**

міст

347   **bridge**

вузде́чка для коня́

348   **bridle**

портфе́ль

349   **briefcase**

яскра́ве со́нце

350   **bright** sun

Рябко́ **прино́сить** мої́ ка́пці.

351   to **bring**

Ле́ся **віднесла́** бібліоте́чні книжки́.

352   to **bring back**

ламке́ скло

353   **brittle** glass

бро́колі

354   **broccoli**

бро́шка

355   **brooch**

Струмо́к — це мале́нька рі́чка.

356   **brook**

мітла́

357   **broom**

Я люблю́ мого́ **бра́та.**

358   I love my **brother.**

брова́	**бруна́тний ко́лір**	Сергі́йкові тре́ба **зачі́сувати** воло́сся.	**щі́тка**
359　brow	360　brown	362　to brush	363　brush

це пога́ний **синя́к**	брю́ссельська капу́ста	**щі́тка** до фарбува́ння	**зубна́ щі́тка**
361　bruise	366　brussels sprouts	364　paintbrush	365　toothbrush

бульба́шка	**відро́**	**пря́жка**	**пу́п'янок**
367　bubble	368　bucket	369　belt buckle	370　bud

бу́йвіл	**кома́ха**	Солда́т гра́є на **сурмі́.**	**будува́ти**
371　buffalo	372　bug	373　bugle	374　to build

бик	**бульдо́зер**	**Ку́лі** небезпе́чні.	**меґафо́н**
375　bull	376　bulldozer	377　bullet	378　bullhorn

Микóла велúкий задирáка.

379 bully

ґýля

380 bump

бýфери

381 bumpers

пучóк спáржі

382 bunch

в'язка

383 bundle

буй

384 buoy

грабíжник

385 burglar

Вогóнь **горúть** яскрáво.

386 to burn

йогó бальóн **лóпнув**

387 to burst

закóпувати

388 to bury

автóбус

389 bus

автóбусна зупúнка

390 bus stop

Кущ мéнший, ніж дéрево.

391 bush

Зáраз я зáйнятий.

392 I am busy now.

алé

Я б пішóв, **алé** я зáйнятий.
Павлó велúкий, **алé** йогó сестрá ще бíльша.

I would like to go, but I am busy.
Pavlo is big, but his sister is bigger.

393 but

м'яснúк

394 butcher

Трóхи **мáсла** на хліб.

395 butter

метéлик

396 butterfly

ґýдзики

397 buttons

Пилúпко **купýє** морóзиво.

398 to buy

	капу́ста	Затишна́ мале́нька хати́на.	ша́фка
C	399 cabbage	400 cabin	401 cabinet

ка́бель	ка́ктус	клі́тка	торт
402 cable	403 cactus	404 cage	405 cake

калькуля́тор	календа́р	теля́	кли́кати
406 calculator	407 calendar	408 calf	409 to call

відміни́ти

Ми **відмі́нимо** пікні́к, якщо́ бу́де дощ.
Ле́ся **відміни́ла** на́шу екску́рсію до зоопа́рку.

We will call off the picnic if it rains.
Lesia has called off our trip to the zoo.

Ле́ся за́вжди **спокі́йна**.	верблю́д	фотоапара́т	
412 She is calm.	413 camel	414 camera	410 to call off

Вони́ **табору́ють** самі́.	мі́сце таборува́ння	бляша́нка	зателефонува́ти
415 to camp	416 campsite	417 can	411 to call up

відкрива́ч для бляша́нок	Кораблі́ пливу́ть **кана́лом.**	кана́рка	сві́чка
418 can opener	419 canal	420 canary	421 candle

сві́чни́к	цуке́рки	Ціпо́к, щоб помогти́ йому́ ходи́ти.	гарма́та
422 candlestick	423 candy	424 cane	425 cannon

Я **не мо́жу** ба́чити.	кано́е	ди́ня	У **каньйо́ні** рі́чка.
426 I cannot see.	427 canoe	428 cantaloupe	429 canyon

ке́пка	мис	пелери́на	вели́ка бу́ква
430 cap	431 cape	432 cape	433 capital

Він **капіта́н** свого́ корабля́.	впійма́ти	авто́	**Карава́н** перехо́дить че́рез пусте́лю.
434 captain	435 to capture	436 car	437 caravan

ка́рти	**карто́н**
438 cards	439 cardboard

Медсестра́ **дба́є** за хво́рих.

440   to **care**

Хто сього́дні **необере́жний**, той жалі́тиме за́втра.

441   He is **careless**.

в“ванта́ж	**гвозди́ки**
442 cargo	443 carnation

Карнава́л — це суці́льна вели́ка вечі́рка.

444   carnival

сто́ляр

445   carpenter

ки́лим	**візо́чок**	**мо́рква**	Пан Кова́ль забага́то **несе́**.
446 carpet	447 carriage	448 carrot	449 to **carry**

візо́к	**карто́нка** шуру́пів	**кра́яти**	**скри́ня**
450 cart	451 carton	452 to **carve**	453 case

Готі́вка — це гро́ші.

454   cash

горі́хи **ке́шью**	**за́мок**	**кіт**
455 cashews	456 castle	457 cat

каталóг	зловѝти	догнáти	гýсениця
458 catalog/catalogue*	459 to catch	460 to catch up with	461 caterpillar

стáдо худóби	казáн	цвітнá капýста	кіннóта
462 cattle	463 cauldron	464 cauliflower	465 cavalry

Чи в печéрі є ведмíдь?	стéля	святкувáти	селéра
466 cave	467 ceiling	468 to celebrate	469 celery

Твоє́ тíло складáється з клітѝн.	Пивнѝцю дéхто назувáє підвáлом.	цемéнт	центр
470 cell	471 cellar	472 cement	473 center/centre*

В однóму мéтрі сто сантимéтрів.	стонóга	В столíтті сто рóків.\n\nA century has one hundred years.	кáша
474 centimeter/centimetre*	475 centipede	476 century	477 cereal

пе́вний

Ле́ся **пе́вна,** що вона́ пра́ва.
Вона́ ма́є **пе́вні** почуття́ до Тимка́.

Lesia is certain that she is right.
She has a certain feeling about Tymko.

478　certain

свідо́цтво

479　certificate

ланцю́г

480　chain

ланцюго́ва пи́лка

481　chainsaw

стіле́ць

482　chair

крейда

483　chalk

чемпіо́нка

484　champion

дрібні́ — це гро́ші

485　change

прото́ка, кана́л

487　channel

Ця кни́га ма́є бага́то **ро́зділів.**

488　chapter

хара́ктер

У Ле́сі си́льний **хара́ктер.**
Вона́ — **ориґіна́л.**

Lesia has a strong character.
She is quite a character.

489　character

Юрко́ **передягну́вся.**

486　to change

деревне́ вугі́лля

490　charcoal

манго́льд

491　chard

обвинува́тити, зарядити

Полі́ція **обвинува́тила** Ста́ха в грабу́нку.
Твоя́ і́грашка не працю́є, бо я забу́в **зарядити** батаре́ю.

The police charged Stakh with robbery.
Your toy has stopped because I forgot to charge the battery.

492　to charge

колісни́ця

493　chariot

діягра́ма, гра́фік

494　chart

гна́тися

495　to chase

бала́кати

496　to chat

деше́вий олівець, дорога́ коро́на

497　**cheap** pencil, expensive crown

Гриць намага́ється обману́ти.

498   to cheat

переві́рити, зда́ти

Чи ти переві́рила скри́ньку з сніда́нком цього́ ра́нку?
Про́шу зда́ти плащ в ґардеро́бу при вхо́ді.

Did you check your lunchbox this morning?
Check your coat at the entrance, please.

499   to check

щока́

500   cheek

Сир ро́блять з молока́.

501   cheese

ба́нковий чек

502   cheque* / check

ви́шні

503   cherries

го́лі гру́ди

504   chest

кашта́н

505   chestnut

До́бре жуй, пе́рше ніж ковтне́ш.

506   to chew

нут

507   chick peas

ку́рка

508   chicken

вітряна́ ві́спа

509   chicken-pox

нача́льник салютує

510   chief

дити́на

511   child

холо́дний день

512   a chilly day

ко́мин, дима́р

513   chimney

шимпанзе́

514   chimpanzee

підборі́ддя

515   chin

порцеля́на

516   china

Трі́ска ніко́ли не па́дає дале́ко від де́рева.

517   chip

Ску́льптор вжива́є **долото́**. 518 chisel	**цибу́ля сі́янка** 519 chives	пли́тка **шокола́ду** 520 chocolate	Чи ви співа́єте в **хо́рі**. 521 choir
Души́ти кого́сь — це не жарт. 522 to choke	Петро́ **подави́вся** кі́сткою. 523 to choke on	Котре́ мені́ **ви́брати?** 524 to choose	**сікти́** цибу́лю 525 to chop
палички́ 526 chopsticks	Бу́фер покри́тий **хро́мом**. 527 chrome	**хризанте́ма** 528 chrysanthemum	**шмато́к** вугі́лля 529 a chunk of coal
Ця **сига́ра** смерди́ть. 530 cigar	Від **цига́рки** ти захворі́єш. 531 cigarette	**ко́ло** кру́гле 532 circle	**цирк** 533 circus
Чи ти живе́ш у вели́кому **мі́сті?** 534 city	**Ско́йка** живе́ в свої́й шкаралу́пі. 535 clam	сти́снуті доку́пи **кля́мрою** 536 clamp	**плеска́ти** 537 to clap

кля́са
538 classroom

У кра́ба си́льні кле́шні.
539 claw

гли́на
З гли́ни ро́блять це́глу. Та́кож мо́жна виробля́ти го́рщики і миски́ з гли́ни.

Clay is used to make bricks. You can also make pots and dishes out of clay.

540 clay

Вона́ цілко́м чи́ста.
541 She is all clean.

Ті́тка Га́ня прибира́є зі сто́лу.
542 to clear

скеля
543 cliff

Вила́зити на верх.
544 to climb

клі́ніка
545 clinic

стри́гти
546 to clip

годи́нник
547 clock

закрива́ти
548 to close

Чи твоя́ стінна́ ша́фа чи́ста?
549 closet

ткани́на, скатерти́на
О́дяг ши́ють з ткани́ни. На столі́ скатерти́на.

Clothes are made out of cloth. There is a tablecloth on the table.

550 cloth

о́дяг
551 clothes

ли́нва для білизни
552 clothesline

хма́ра
553 cloud

Чотирилистко́ва конюши́на прино́сить ща́стя.
554 clover

кло́ун
555 clown

Тал полю́є з дрю́ком.
556 club

ключ
Полі́ція натра́пила на ключ, що поміг ви́крити зло́чин. Я дам вам ключ до розга́дки.

The police found a clue to the crime. I will give you a clue.

557 clue

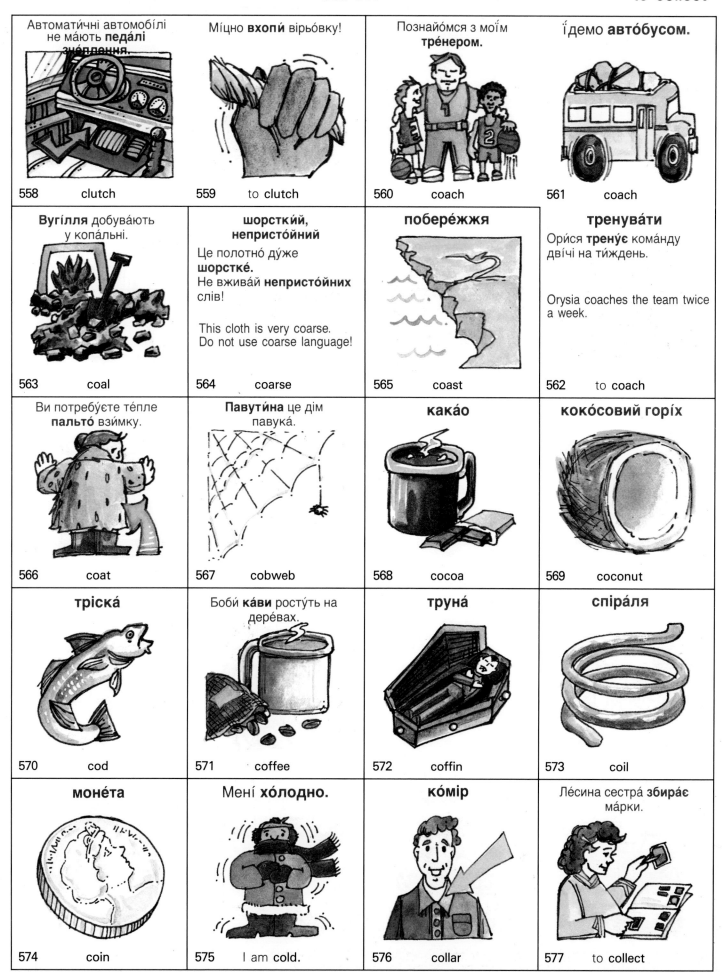

Автомати́чні автомобі́лі не ма́ють педа́лі зче́плення.

558   clutch

Мі́цно вхопи́ вірьо́вку!

559   to clutch

Познайо́мся з моі́м тре́нером.

560   coach

Ї́демо авто́бусом.

561   coach

Вугі́лля добува́ють у копа́льні.

563   coal

шорстки́й, непристо́йний

Це полотно́ ду́же **шорстке́.**
Не вжива́й **непристо́йних** слів!

This cloth is very coarse.
Do not use coarse language!

564   coarse

побере́жжя

565   coast

тренува́ти

Ори́ся **трену́є** кома́нду дві́чі на ти́ждень.

Orysia coaches the team twice a week.

562   to coach

Ви потребу́єте те́пле **пальто́** взи́мку.

566   coat

Павути́на це дім павука́.

567   cobweb

кака́о

568   cocoa

коко́совий горі́х

569   coconut

тріска́

570   cod

Боби́ **ка́ви** росту́ть на дере́вах.

571   coffee

труна́

572   coffin

спіра́ля

573   coil

моне́та

574   coin

Мені́ **хо́лодно.**

575   I am cold.

ко́мір

576   collar

Ле́сина сестра́ **збира́є** ма́рки.

577   to collect

Ко́ледж це шко́ла для ста́рших діте́й.

578   college

А́вта **вдаря́ються**, якщо́ шо́фери сплять.

579 Cars **collide** when drivers sleep.

тяжке́ **зіткнення**

580   collision

Яки́й твій улю́блений **ко́лір?**

581   colors/colours*

Коби́ла та її **лоша́.**

582   colt

кам'яні́ **коло́ни**

583   column

гре́бінь

584   comb

чеса́ти

585   to comb

Змі́шай їх ра́зом.

586   to combine

прийти́, приї́хати

Скажи́ Горді́єві, щоб **прийшо́в** додо́му.
Ле́ся **приї́хала** на вечі́рку автобусом.
Чи ти ча́сто сюди́ **прихо́диш?**

Tell Hordiy to come home.
Lesia came to the party by bus.
Do you come here often?

587   to come

Воно́ **відірва́лося** у ме́не в руці́.

588   to come off

Він зімлі́в, але́ шви́дко **прийшо́в до се́бе.**

589   to come to

комфорта́бельно

590   comfortable

Спра́вжня **ко́ма** ме́нша за цю.

591   comma

нака́зувати

592   to command

осе́ля, грома́да

Ми живемо́ в мале́нькій **осе́лі.**
У **громадсько́му** це́нтрі є басе́йн.
На́шу шко́лу будува́ли **грома́дою.**

We live in a small community.
There is a pool at the community center.
Building the school was a community effort.

593   community

Тара́с і Тимко́ — **това́риші.**

594   companions

Я в до́брому **товари́стві.**

595 I am in good **company.**

порі́внювати

596   to compare

Усі́ **ко́мпаси** пока́зують на Пі́вніч.

597 My **compass** points North.

Лю́двіг компону́є симфо́нію.

598   to **compose**

компози́тор

599   **composer**

компози́ція на фортепія́но

600   **composition**

компю́тер

601   **computer**

зосере́джуватися

602   to **concentrate**

конце́рт

603   **concert**

бето́н

604   **concrete**

дириґе́нт

605   **conductor**

ко́нус

607   **cone**

ва́фельна тру́бочка з моро́зивом

608   ice cream **cone**

сосно́ва **ши́шка**

609   pine **cone**

конду́ктор

606   **conductor**

самовпе́внений

610   **confident**

Я **розгуби́вся**, не зна́ю, котра́ пра́вильна доро́га.

611   I am **confused**.

поздоровля́ти, віта́ти

612   to **congratulate**

сполуча́ти

613   to **connect**

при́голосні

б, ф, д, п, м, г
це **при́голосні** бу́кви

B, c, d, f, g are consonants.

614   **consonant**

Поліца́й мо́же допомогти́ тобі́.

615   **constable**

Сузір'я ма́є бага́то зіро́к.

616   **constellation**

Є сім **контине́нтів.**

617   **continent**

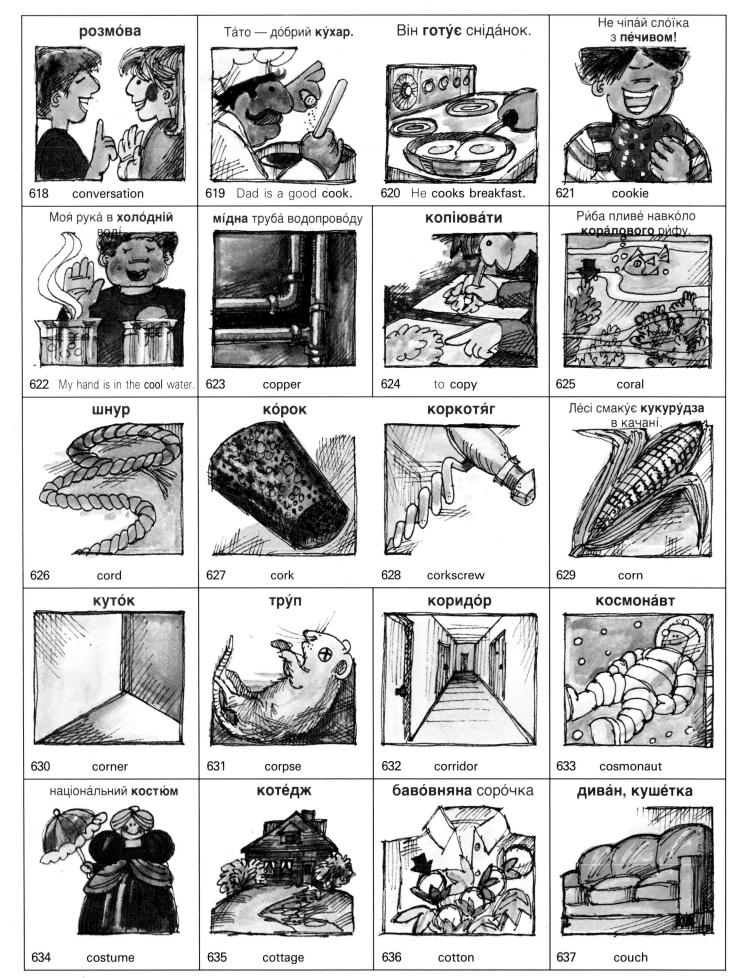

розмо́ва

618   conversation

Та́то — до́брий **ку́хар.**

619   Dad is a good **cook.**

Він **готу́є** сніда́нок.

620   He **cooks** breakfast.

Не чіпа́й сло́їка з **пе́чивом!**

621   **cookie**

Моя́ рука́ в **холо́дній** воді́

622   My hand is in the **cool** water.

мі́дна труба́ водопрово́ду

623   **copper**

копіюва́ти

624   to **copy**

Ри́ба пливе́ навко́ло **кора́лового** ри́фу.

625   **coral**

шнур

626   cord

ко́рок

627   cork

коркотя́г

628   corkscrew

Ле́сі смаку́є **кукуру́дза** в кача́ні.

629   corn

куто́к

630   corner

труп

631   corpse

коридо́р

632   corridor

космона́вт

633   cosmonaut

націона́льний **костю́м**

634   costume

коте́дж

635   cottage

баво́вняна соро́чка

636   cotton

дива́н, куше́тка

637   couch

Килина **кашляє** чемно. 638 to **c**ough	**рахувати, лічити** 639 to **c**ount	**лічильник** 640 **c**ounter	Поклади це на **прилавок.** 641 **c**ounter
Ви були на **селі?** 642 **c**ountry	Ця **країна** — Канада. 643 **c**ountry	Тато й мама це **пара.** 644 **c**ouple	Треба мати **хоробрість,** щоб битися з драконами. 645 **c**ourage
тенісний майданчик, корт. 646 **c**ourt	Моя **кузина** це дочка мого дядька. 647 My **c**ousin is my uncle's daughter.	**накрити** 648 to **c**over	Тримай **покришку** на глеку. 649 **c**over
корова 650 **c**ow	Цей хлопець — **боягуз.** 651 This boy is a **c**oward.	**ковбой** 652 **c**owboy	**Краби** живуть у морі. 653 **c**rab
Цей слоїк має **тріщину.** 654 **c**rack	**сухар** 655 **c**racker	**колиска** 656 **c**radle	**журавель** 657 **c**rane

підійма́льний **кран**	зазна́ти ава́рії	Що в **я́щику?**	повзти́
658 crane	659 to crash	660 crate	661 to crawl
рак	пасте́лі	вершки́, моро́зиво, крем	скла́дка
		Та́то лю́бить ка́ву з **вершка́ми.** Моро́зиво ду́же соло́дке. **Крем** захища́є ва́шу шкі́ру від со́нця. Dad likes cream in his coffee. Ice cream is very sweet. Sun cream protects your skin.	
662 crayfish	663 crayons	664 cream	665 crease
Що за ди́вне **створі́ння!**	Струмо́к це мале́нька рі́чка.	екіпа́ж корабля́	дитя́че лі́жко
666 creature	667 creek	668 the crew	669 crib
цвіркун	злочи́нець	крокоди́л	Кро́куси — озна́ка весни́.
670 cricket	671 criminal	672 crocodile	673 crocus
Той **злоді́й** укра́в я́блуко!	**криви́й** стовп	Карти́на **крива́,** ве́жа пряма́.	до́брий **урожа́й**
674 crook	675 crooked post	676 crooked painting, upright tower	677 crop

хрест	Диви́сь, пе́рше ніж **перехо́дити!**	**ви́креслити**	**воро́на**
678 cross	679 to cross	680 to cross out	681 crow
Вели́кий **на́товп** у мало́му мíсці.	**коро́на**	Сер Пе́тер **коронує** нову́ короле́ву.	**кри́хта**
682 A big crowd in a small space.	683 crown	684 to crown	685 crumb
Розду́шувати виногра́д на вино́.	Ле́ся найду́жче лю́бить **шкури́нку.**	**ми́лиця**	**пла́кати**
686 to crush	687 crust	688 crutch	689 to cry
кришта́ле́ва ку́ля	**Ведмежа́** це дити́на ведме́дя.	**куб**	**зозу́ля**
690 crystal	691 cub	692 cube	693 cuckoo
огіро́к	**манже́та**	**ча́шка** чаю	Глек у **буфе́ті.**
694 cucumber	695 cuff	696 cup	697 cupboard

обо́чина

698   curb/kerb*

Я ви́лікуваний.

699   I am cured.

Лари́са накру́чує своє́ воло́сся.

700   to curl

Тепе́р у не́ї воло́сся кучеря́ве.

701   curly

ціка́ва

702   curious

порі́чка

703   currant

си́льна течія́

704   current

фіра́нки

705   curtains

крива́ лі́нія

706   curve

поду́шка

707   cushion

покупе́ць

708   customer

рі́зати

709   to cut

ми́ла

712   cute

столо́ві прибо́ри

713   cutlery

велосипе́д

714   cycle

перері́зати шлях

710   to cut in

цилі́ндер

715   cylinder

тарілки́

716   cymbals

кипари́с

717   cypress

ви́ріж паперо́ву ля́льку!

711   to cut out

Жо́втий нарци́с це весня́на кві́тка.

718 daffodil

кинджа́л

719 dagger

щоде́нна газе́та

720 daily

Коро́ви на **моло́чній фа́рмі.**

721 dairy

стокро́тка

722 daisy

Гре́бля на рі́чці.

723 dam

пошко́джений

724 damaged

во́гке

725 damp

танцюва́ти

726 to dance

танцюри́стка

727 dancer

Кульба́би — це бур'яни́.

728 dandelion

небезпе́ка

729 danger

не бої́ться **те́мряви**

730 dark

Стрі́ли на те, щоб їх ки́дати.

731 dart

контро́льна панé́ля

732 dashboard

Котра́ сього́дні **да́та?**

733 date

Це моя́ **дочка́** Прі́ся.

734 daughter

Поча́ток га́рного **дня.**

735 the start of a nice **day**

до́хла ми́ша

736 **dead** mouse

Глухи́й не чу́є.

737   deaf

лю́бий, дороги́й, ми́лий

Мико́лка мій **лю́бий** прия́тель.
Дорога́ ма́мо! Мені́ в та́борі до́бре.
Ми́лий Бо́же, я забу́ла свій гамане́ць.

Mykolka is my dear friend.
Dear Mom, camp is fun!
Oh dear, I forgot my wallet.

738   dear

Гру́день — оста́нній мі́сяць ро́ку.

739   December

виріша́ти, ви́рішити

Ле́ся, не мо́же **ви́рішити**, в що одягну́тися.
Мо́же ма́ма **ви́рішить** за не́ї.

Lesia cannot decide what to wear.
Mom may have to decide for her.

740   to decide

па́луба корабля́

741   deck

Піра́т Пили́п **прикраша́є** ялинку.

742   to decorate

прикра́са

743   decoration

Анті́н не йде на **глибо́кий** кіне́ць.

744   deep end

В лі́сі є **о́лені.**

745   deer

доста́вити

746   to deliver

Тара́с **угну́в** моє́ авто́.

747   to dent

денти́ст

748   dentist

універса́льна крамни́ця

749   department store

пусте́ля

750   desert

Хто поста́вив цей **письмо́вий стіл** у пусте́лі?

751   desk

десе́рт

752   dessert

Годзі́ла **ни́щить** мі́сто.

753   to destroy

Міноно́сець це тип військо́вого корабля́.

754   destroyer

детекти́в

755   detective

Ра́нішня **роса́** на ли́сті.

756   dew

діягона́ля

757   diagonal

діягра́ма

758   diagram

діяма́нт

759   diamond

Немовля́там потрі́бні **пелюшки́.**

760   diaper

Чи ти веде́ш **щоде́нник?**

761   diary

Подиви́ся у **словни́к.**

762   dictionary

умира́ти

763   to die

рі́зниця

Всі лю́ди ро́дяться рі́вними, між ни́ми нема́є **рі́зниці.**
Є вели́ка **рі́зниця** між дне́м і ні́ччю.

All people are born equal, there is no difference between them. There is quite a difference between night and day.

764   difference

Рі́зні лю́ди ... але́ всі рі́вні.

765   **different** people

копа́ти

766   to dig

Змій **перетра́влює** слона́.

767   The snake digests an elephant.

Ду́же **тьмя́на** кімна́та.

768   dim

Ле́ся ма́є **я́мочки** на щока́х.

769   dimple

надувни́й чо́вен

770   dinghy

їда́льня

771   dining room

обі́д

772   dinner

диноза́вр

773   dinosaur

У цьо́му **на́прямку!**

774   direction

Та́то вступи́в у **бру́д.**

775   dirt

Його́ штани́ спра́вді **брудні́.**

776   dirty

Я не **погóджуюся** з вáми.	**Я́блуко зни́кло.**	**нещáстя**	**відкри́ти**
777 to disagree	778 to disappear	779 disaster	780 to discover
обговóрювати	**хворóба**	Лéся мáє на собí **маскувáння.**	Прóшу поми́ти **пóсуд!** Лéсю, де ти?
781 to discuss	782 disease	783 disguise	784 dishes
нечéсна люди́на	**поми́ї**	**не люби́ти**	Таблéтка **розчиня́ється** у водí.
785 a dishonest person	786 dishwater	787 to dislike	788 to dissolve
Ві́ддаль між двомá дерéвами.	**Віддáлене** дéрево далéко.	**Окóлиця,** де я живý.	копáючи **рів**
789 distance between two trees	790 a distant tree	791 district	792 ditch
пірнáти	**Розділи́ти** я́блуко.	У мéне **крýтиться головá.**	Я мáю **зроби́ти** щось, щоб полáгодити табурéт.
793 to dive	794 to divide	795 I feel dizzy.	796 What shall I do?

док 797 dock	**лі́кар, до́ктор** 798 doctor
соба́ка 799 dog	**ля́лька** 800 doll
дельфі́н 801 dolphin	**ба́ня** 802 dome
Осе́л несе́ вели́кий тягáр. 803 donkey	**две́рі** 804 door
кля́мка 805 doorknob	**двійни́к** 806 double
ті́сто 807 dough	**Го́луб** — си́мвол ми́ру. 808 dove
Ле́ся ма́є **пухо́ву** поду́шку. 809 down	**дріма́ти** 810 to doze
двана́дцять яє́ць — це **ту́зінь.** 811 dozen	Не **волочи́** торби́нку по бру́ді. 812 to drag
драко́н 813 dragon	**ба́бка** 814 dragonfly
злив 815 drain	Рома́н ду́же до́бре **рису́є.** 816 to draw

Підніміть **підйомний міст!**	Лéсині шкарпéтки не у цій **шухля́ді.**	гáрний **СОН**	Омéлько **сни́ть** нáвіть тодí коли́ він не спить
817 drawbridge	818 drawer	819 a nice dream	820 I dream of sheep.
су́кня	**одяга́тися**	Мóже Лéсині шкарпéтки у цій **комóді.**	**сли́нити**
821 dress	822 to dress	823 dresser	824 to dribble
Дрейфува́ти по океáну зóвсім не жарт.	Петру́ся **свердли́ть** малéсенькі дíрочки.	електри́чне **свéрдло**	**напíй**
825 to drift	826 to drill	827 drill	828 drink
ка́пати	Я **їду** оберéжно.	безглу́здий **водíй**	**пи́ти**
830 to drip	831 I drive carefully.	832 crazy driver	829 to drink
мря́ка Дощ зроби́вся легкóю **мря́кою.** The rain has become a light drizzle.	пуска́ти сли́ну	по однíй **кра́плі**	Наш гість **упусти́в** чáрку.
833 drizzle	834 to drool	835 drop	836 to drop

Заходь до мене будь-коли.

837   to **drop in**

Тато **залишає** котá у ветеринáра.

838   Dad **drops off** the cat at the vet.

Він **випав** зі змагáння.

839   to **drop out**

Я почувáюся **сóнним.**

840   I feel **drowsy.**

барабáн

841   drum

сухé

842   dry

сушúти

843   to dry

хемíчна чúстка

844   dry cleaner

Поклади мóкру білúзну у **сушáрку.**

845   dryer

герцогúня

846   duchess

кáчка

847   duck

Дуéль не найкрáщий спóсіб рішáти спір.

848   duel

гéрцоґ

849   duke

смітнúк

850   dump

скидáти, викидáти

851   to dump

самоскúд

852   dumptruck

Злóдій вже дóвгий час зáмкнений у **темнúці.**

853   dungeon

прúсмерк

854   dusk

пил

855   dust

кáрлик

856   dwarf

E

Ко́жний ма́є по морквйні.

857 **Each** one has a carrot.

Орли́ рі́дкісні птáхи, їх трéба охороня́ти.

858 **eagle**

ву́хо

859 **ear**

рáнішнє со́нце

860 **early**

заробйти, заслужйти

Мáма **заробля́є** до́бре.
Лéся **заслужйла** на вакáції.
Пéрше **заробй,** а по́тім витрачáй.

Mom earns a good wage.
Lesia has earned a holiday.
You must earn it before you spend it.

861 **to earn**

Пляне́та Земля́

862 **Earth**

копáти зе́млю

863 **earth**

землетру́с

864 **earthquake**

мольбéрт

865 **easel**

Схід і Зáхід протиле́жні.

866 **east**

Плáвати **ле́гко.**

867 Swimming is **easy.**

їсти

868 **to eat**

їсти снідáння

869 **to eat breakfast**

їсти дру́гий снідáнок

870 **to eat lunch**

їсти обíд

871 **to eat dinner**

лунá

Галлó ... аллó ... ло

872 **echo**

затéмнення со́нця

873 **eclipse**

Дéрево є на самóму **краю́.**

874 The tree is at the **edge.**

вугóр

875 **eel**

Ку́рка знесла́ яйце́.	**баклажа́н**	**ві́сім**	**во́сьма** ри́ба
876　egg	877　eggplant	878　eight	879　eighth

ґу́мка	**лі́коть**	**ви́бори**	**еле́ктрик**
880　elastic	881　elbow	882　election	883　electrician

Ви́бори відбува́ються, щоб ви́брати у́ряд.
Хто ви́грав **ви́бори**?
Незначна́ перева́га під час **ви́борів**.

Elections are held to choose the government.
Who won the election?
The election was very close.

еле́ктрика	**слон**	**ліфт**	**лось**
884　electricity	885　elephant	886　elevator	887　elk

в'яз	Степа́н його́ **засоро́мив.**	**обня́ти, обійма́ти**	**ви́шивка**
888　elm	889　to embarrass	890　to embrace	891　embroidery

крити́чне стано́вище	Сло́їк **поро́жній.**	**Кіне́ць** доро́ги.	Коли́сь вони́ переста́нуть бу́ти **вorога́ми.**
892　emergency	893　The jar is empty.	894　This is the end.	895　enemies

мото́р автомобі́ля	**машині́ст**	**втіша́тися**	**величе́зний** диноза́вр
896　engine	897　engineer	898　to enjoy	899　enormous dinosaur
до́сить	**ввійти́**	**вхід**	**конве́рт**
900　That is enough.	901　to enter	902　entrance	903　envelope
рі́вні	**еква́тор**	**дору́чення** Ле́ся вико́нує та́тове **дору́чення.** Вона́ ще ма́є бага́то **дору́чень** сього́дні вра́нці. Lesia is running an errand for Dad. She has many errands this morning.	Оди́н **ескала́тор** і́де вго́ру, а оди́н вниз.
904　equal	905　equator	906　errand	907　escalator
Ми́ша ле́две **втекла́.**	Евро́па — це контине́нт.	**випаро́вування**	Чоти́ри — **па́рне** число́.
908　to escape	909　Europe	910　evaporation	911　Four is an even number.
рі́вна пове́рхня	**вічнозеле́не**	**ко́жний** Ле́ся сте́лить своє́ лі́жко ма́йже **ко́жного** дня. Чи ма́ма му́сить їй каза́ти **ко́жного** ра́зу. Lesia makes her bed almost every day. Must Mom tell her every time?	Де́які **і́спити** легкі́.
912　an even surface	913　evergreen	914　every	915　exam

розгляда́ти

916   to **examine**

при́клад

Ча́сом Ле́ся не є до́брим **при́кладом.**
Ре́чі ле́гше зрозумі́ти, якщо́ пода́ти **при́клад.**

Sometimes Lesia does not set a good example.
Things are easier to understand when you give an example.

917   example

зна́к о́клику

918   exclamation mark

проба́чте

919   Excuse me!

Мо́тря **ро́бить впра́ви** для здоро́в'я.

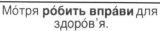

920   to **exercise**

існува́ти

Існува́ти — це зна́чить бу́ти.
Ле́ся ка́же: „Тако́го нема́є". Це зна́чить, що воно́ не **існу́є.**

To exist is to be.
Lesia said, ''There is no such thing,'' and she meant ''It does not exist''.

921   to **exist**

ви́йти

922   to **exit**

—

Бальо́н бу́де **бі́льшати** по́ки не трі́сне.

923   to **expand**

сподіва́тися, очі́кувати

Ми вас **очі́куємо** о дру́гій.
Та́то **сподіва́ється,** що ти бу́деш че́мна.
Га́ня не мо́же **сподіва́тися** чого́сь бі́льшого.

We expect you at two o'clock.
Dad expects you to be good.
Hania cannot expect any more.

924   to **expect**

дороги́й

925   expensive

експериме́нт

926   experiment

знаве́ць

927   expert

Дай я тобі́ **поясню́.**

928   to **explain**

досліджувати

929   to **explore**

ви́бух

930   explosion

вогнега́сник

931   extinguisher

о́ко

932   eye

брова́

933   eyebrow

окуля́ри

934   eyeglasses

ві́я

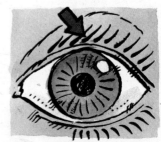

935   eyelash

	Байка про мурáшку та кóника.	**лицè, обли́ччя**	**фáбрика**
	936 fable	937 face	938 factory

Тарáс **провали́вся** на іспитах.	**не вдáтися**	**я́рмарок**	**Фéя** ви́конає твоє́ бажáння.
939 to fail	940 to fail	941 fair	942 fairy

ві́рити, ві́ра

Ми **ві́римо** в тéбе.
Лéся прийняла́ це у дóбрій **ві́рі**.

We have faith in you.
Lesia accepted it in good faith.

943 faith

Це є підрóбка.

944 fake painting

Ли́стя спадáє **восени́.**

945 fall

пáдати

946 to fall

помилкóва тривóга

Дýмали, що хáта гори́ть.

949 false alarm

Сім'я́, роди́на

950 family

упáсти

947 to fall down

злетíти

948 to fall off

Мари́на — **слáвна** кінозíрка.

951 famous actress

вентиля́тор

952 fan

маскарáдний костю́м

953 fancy clothes

íкло

954 fang

Місто ду́же дале́ко.	**прощава́й!**	Наш харч похо́дить з **фа́рми.**	**фа́рмер**
955 The city is **far** away.	956 Farewell !	957 farm	958 farmer
швидки́й	Я **застіба́ю** прив'язний по́яс. Не забува́й його́ **застібну́ти.**	Федько́ **товсти́й**, бо лю́бить цу́кор.	Пи́ти отру́ту — це **смерте́льно.**
959 fast	960 I **fasten** my seatbelt.	961 fat	962 fatal
та́то, ба́тько	**Кран** ка́пає.	Вони́ обо́є ка́жуть, що це **вина́** дру́гого.	**ла́ска, по́слуга** Чи мо́жеш зроби́ти мені́ **ла́ску?** Ле́ся ми́ла і лю́бить роби́ти і́ншим **по́слуги.** Can I ask you a favor? Lesia is nice and likes doing people favors.
963 father	964 faucet	965 Whose **fault** is it?	966 favor/favour*
улю́блений смак	**боя́тися** найгі́ршого	**бенке́т**	Здається, птах загуби́в це **перо́.**
967 favorite/favourite*	968 to **fear** the worst	969 feast	970 feather
Лю́тий — дру́гий мі́сяць ро́ку.	Лі́да **году́є** дити́ну.	Я **почува́юся** до́бре.	**Сами́ця** пта́ха несе́ я́йця.
971 February	972 to feed	973 I feel well.	974 female

парка́н	крило́	па́пороть	поро́м
975 fence	976 fender	977 fern	978 ferry
фестива́ль	Павло́ ма́є висо́ку **гаря́чку**.	Прийшло́ **ма́ло** люде́й.	по́ле
979 festival	980 fever	981 **Few** people came.	982 field
О́ля — **п'я́та**.	Вони́ нече́мні й бага́то б'ю́ться.	пиля́ти	наповня́ти
983 fifth	984 to fight	985 to file	986 to fill
Фільм для її́ фотоапара́та.	**Брудна́** свиня́.	Той **плаве́ць** нале́жить аку́лі.	**заправля́ти** пальни́м
988 film	989 filthy	990 fin	987 to fill up
Штраф за надмі́рну шви́дкість.	Я чу́юся **до́бре**.	па́лець	відби́ток па́льця
991 fine	992 I am fine.	993 finger	994 fingerprint

фінішувáти 995 to finish	**Смерéка** мáє голкú. 996 fir
пожéжа 997 fire	**пожéжна машúна** 998 fire engine

запаснí схóди 999 fire escape	**хлóпавка, петáрда** 1000 firecracker
пожéжник 1001 fireman	**камíн** 1002 fireplace

мíцнúй, фíрма, твердúй

Лéся **мíцно** стискáє за рýку.
Тамáрина **фíрма** виробляє забáвки.

Lesia has a firm handshake.
Tamara's firm makes toys.

1003   firm

Пéрший в черзí.
1004   first

рúба
1005   fish

ловúти рúбу
1006   to fish

риболóвний гачóк
1007   fishhook

кулáк
1008   fist

п'ять
1009   five

Ви дýмаєте, що він змóже **попрáвити** це?
1010   to fix

Пірáтський **прáпор**
1011   flag

сніжúнка
1012   flake

пóлум'я
1013   flame

Ґýні **змáхує** крúлами.
1014   to flap

Світлови́й сиґна́л мо́же освітли́ти ніч.

1015   flare

фо́то-спа́лах

1016   flash

ліхта́рик

1017   flashlight

кара́фа

1018   flask

пло́ске

1019   flat

розка́чувати ті́сто

1020   to flatten

Яки́й **при́смак** тобі́ найбі́льше подо́бається?

1021   flavor/flavour*

На Бровко́ві **блоха́**.

1022   flea

Матві́й **утіка́є** щоду́ху.

1023   to flee

во́вна

1024   fleece

бага́то **м'я́са**

1025   flesh

пла́вати

1026   to float

згра́я птахі́в

1027   flock

по́вінь

1028   flood

підло́га

1029   floor

Щоб пекти́, Яре́мі потрі́бна **мука́**.

1030   flour

Кров **тече́** у його́ ве́ну.

1031   to flow

кві́тка

1032   flower

Карпо́ ма́є **ґри́пу**.

1033   flu

пух

1034   fluff

Водá — це **рідинá.**	**мýха**
1035 fluid	1036 fly
застібнú **ширíньку!**	Птахú й літакú **літáють.**
1037 fly	1038 to fly

пíна	Ви не мóжете далéко бáчити в **тумáні.**
1039 foam	1040 fog
Склади́ оцé так.	Гýска всю́ди **хóдить за** Тарáсом.
1041 to fold	1042 to follow

їжа	**ногá**
1043 food	1044 foot
футбóльний м'яч	**слід ногú** на снігý
1045 football	1046 footprint

Чýю за собóю **крóки.**

1047   footsteps

за, на, якбú не

Одúн **за** всіх, а всі **за** одногó.
На крáще чи **на** гíрше.
Якбú не ти, ми прогрáли б матч.

One for all and all for one.
For better or for worse.
But for you, we would have lost the game.

1048   for

форсувáти

1049   to force

чолó, лоб

1050   forehead

У **лíсі** звíрі.

1051   forest

забýти, забувáти

Наш пес **забувáє** своє ім'я.
Тáто **забýв** купúти молокó.
Забýдь про це!

Our dog forgets his name.
Dad forgot to buy milk.
Forget it!

1052   to forget

прощáти, пробачáти

Я тобі **прощáю,** якщó ти обіцяєш бýти чéмним.
Лéся **пробáчила** псóві, що з'їв її улю́блену лялькý.

I forgive you if you promise to be good.
Lesia forgave her dog for eating her favorite doll.

1053   to forgive

видéлка

1054   fork

під'йо́мник

1055   forklift

манеке́н

1056   form

Солда́ти у **форте́ці.**

1057   fort

вперед, розв'я́зний

Йди **вперед** аж по́ки не ді́йдеш до пере́дніх двере́й.
Ле́ся ду́має, що він зана́дто **розв'я́зний.**

Go forward until you reach the front door.
Lesia thinks he is too forward.

1058   forward

Ця **скам'яні́лість** коли́сь була́ ри́бою.

1059   fossil

смо́рід

1060   foul odor/odour*

фунда́мент до́му

1061   foundation

фонта́н

1062   fountain

хи́трий **лис**

1063   fox

ча́стка ці́лого пирога́

1064   fraction

Я́йця ду́же **ламкі́.**

1065   fragile

ра́ма

1066   frame

Чи ти тако́ж ма́єш **весня́нки?**

1067   freckle

на свобо́ді, ві́льний

1068   free

Помара́нчевий сік Ату́ка **заме́рз.**

1069   to freeze

Зі́рвано **сві́жим** з де́рева.

1070   fresh

п'я́тниця

П'я́тниця означа́є, що до понеді́лка шко́ли не бу́де.

Friday means no more school until Monday.

1071   Friday

холоди́льник

1072   fridge

дру́зі

1073   friends

Ма́рта **ляка́є** його́ ко́жного ра́зу.

1074   to frighten

жа́ба	Я **з** Ма́рса.	**перѐд**	На вікні́ **моро́з.**
1075 frog	1076 I am **from** Mars.	1077 **front**	1078 **frost**
Чого́ він **хму́риться?**	**Фру́кти** кра́щі за цуке́рки.	**сма́жити**	**сковорода́**
1079 to **frown**	1080 **fruit**	1081 to **fry**	1082 **frying pan**
Автомобі́лі потребу́ють **пальне́.**	**по́вне**	**забавля́ється**	Цей **фо́нд** допомага́є бі́дним.
1083 Cars need **fuel.**	1084 **full**	1085 having **fun**	1086 charity **fund**
Вони́ пішли́ на **по́хорон.**	Лий че́рез **лі́йку.**	**смі́шно, ди́вно**	**Хутряне́** пальто́ влі́тку?
1087 funeral	1088 **funnel**	1089 **funny**	1090 **fur** coat
В ха́ті було́ б хо́лодно без **пе́чі.**	**ме́блі.**	Чи ти перепали́в **запобі́жник?**	Пушо́к — **пухна́стий** кіт.
1092 furnace	1093 **furniture**	1094 **fuse**	1091 **furry**

Within cell 1089:

Ма́ма не ду́має, що це **смі́шно.**
Ди́вна річ тра́пилася по доро́зі до шко́ли.

Mother does not think that is funny.
A funny thing happened on the way to school.

G

Бу́ря це си́льний ві́тер.

1095   gale

мисте́цька **ґалері́я**

1096   gallery

Кінь мо́же **бі́гти гало́пом** або ри́ссю.

1097   to gallop

Ілько́ві подо́баються рі́зні **гри.**

1098   game

Гуса́к — це саме́ць гу́ски.

1099   gander

ба́нда розбі́йників.

1100   gang

У Ле́сі між пере́дніми зуба́ми **щі́лина.**

1101   gap

Авто́ в **ґара́жі.**

1102   garage

смі́ття

1103   garbage

сміта́рка

1104   garbage can

горо́д

1105   vegetable garden

полоска́ти

1106   to gargle

Часни́к ма́є міцни́й смак.

1107   garlic

Підв'я́зка трима́є панчо́ху.

1108   garter

газ

Бальо́н був по́вний **га́зу.**
Де́які **га́зи** ле́гші за повітря.
Пожежники одяга́ють **протига́зи** від ди́му.

The balloon was filled with gas. Some gases are lighter than air. Firemen wear gas masks against the smoke.

1109   gas

Газ означа́є бензи́н.

1110   gas

Га́зова педа́ля — це акселера́тор.

1111   gas pedal

бензоколо́нка

1112   gas pump

бензи́нова ста́нція

1113   gas station

воро́та	Вона́ **збира́є** кві́ти.	**зубча́сті коле́са**	**самоцві́т**
1114 gate	1115 to **gather**	1116 **gears**	1117 **gem**
Генера́л — це офіце́р висо́кої ра́нґи.	**ще́дрий** друг	**ла́гідна** осо́ба	Та́то спра́вжній **джентльме́н.**
1118 general	1119 a **generous** friend	1120 a **gentle** person	1121 **gentleman**
спра́вжня свиня́	Ми всі вивча́ємо **геогра́фію.**	**гера́нія**	**ге́рбіль** сві́йський
1122 a **genuine** pig	1123 **geography**	1124 **geranium**	1125 **gerbil**
Мікро́би спричиня́ють хворо́би.	Кіт Му́рко **почина́є** ру́хатися.	Я хо́чу **діста́ти** кни́жку **наза́д.**	Ле́ся **вхо́дить** у басе́йн пові́льно.
1126 **germ**	1127 **Get** that mouse!	1128 I want to **get** it **back.**	1129 to **get in** the pool
Ле́ся **висіда́є** ...	... а по́тім **всіда́є**	**позбува́ється** сміття́ ...	... але́ пе́рше вона́ **встає́.**
1130 to **get off**	1131 to **get on**	1132 to **get rid of**	1133 to **get up**

Чи ти боїшся ду́хів?
1134 ghost

ве́летень
1135 giant

подару́нок
1136 gift

велете́нський кит
1137 gigantic

хіхі́кати, хихоті́ти
1138 to giggle

Ри́би ди́хають **зя́брами.**
1139 gills

Імби́р — це пря́ність.
1140 ginger

Смачни́й **пря́ник.**
1141 gingerbread

Цига́нський віз за́вжди в доро́зі.
1142 gipsy

Чи **жира́фа** спра́вді ви́ща за со́нце?
1143 giraffe

ді́вчина
1144 girl

Вона́ **дала́** Га́ні парасо́льку.
1145 to give

льодови́к
1148 glacier

Я **ра́дий.**
1149 I am glad.

Ві́кна зро́блені зі **скла́.**
1150 glass

Га́ня **відда́ла** її, коли́ дощ скінчи́вся.
1146 to give back

Чи ти но́сиш **окуля́ри?**
1152 glasses

сковзатися
1153 to glide

скля́нка води́
1151 glass

Я **здаю́ся!**
1147 I give up!

Пла́нер — це літа́к без мото́ра.

1154 glider

рукави́ці

1155 gloves

Клей прилі́плює.

1156 glue

і́ти́

1157 to **go**

Ворота́р захища́є **ґол.**

1161 goal

Цап чи **коза́?**

1162 goat

Захисні́ окуля́ри захища́ють її́ о́чі.

1163 goggles

Він **спуска́ється вниз** до робо́ти.

1158 to **go down**

брусо́к **зо́лота**

1164 gold

золота́ ри́бка

1165 goldfish

Дя́дько Іва́н гра́є в **ґольф.**

1166 golf

Бровко́ **вхо́дить** до бу́дки, щоб поспа́ти.

1159 to **go in**

Ця ї́жа **до́бре** смаку́є.

1167 good

До поба́чення, ма́мо!

1168 Goodbye Mom!

гу́ска

1169 goose

Джек **лі́зе вго́ру** по квасоли́нню.

1160 to **go up**

а́рґус

1170 gooseberry

Вона́ ду́має, що її́ за́чіска **пи́шна.**

1171 gorgeous

гори́ла

1172 gorilla

пра́вити

У́ряд **пра́вить** краї́ною. **Пра́вити** краї́ною не так ле́гко як здає́ться.

The government governs the country.
It is not as easy to govern a country as it seems.

1173 to **govern**

у́ряд

Ýряд вибира́ється
наро́дом.
Ле́син та́то, адміра́л,
працю́є для у́ряду.

The government is elected by
the people.
Lesia's dad, the admiral, works
for the government.

1174   government

Він **ви́хопив** її моро́зиво,
і за те бу́де пока́раний.

1175   to grab

Він ду́же **люб'я́зний.**

1176   He is very **gracious.**

Я в пе́ршій **кля́сі.**

1177   I am in **grade** one.

Ми збира́ємо **зерно́,** щоб
роби́ти муку́.

1178   grain

1000 **гра́мів** = 1 кілогра́м

1179   gram

внук

1180   grandchild

ді́до, діду́сь

1181   grandfather

Ле́сина **ба́ба** любить
пекти́.

1182   grandmother

Ґрані́т — це тверди́й
ка́мінь.

1183   granite

да́ти, спо́внити

Даю́ тобі́ відпу́стку на
де́сять днів.
До́бра фе́я **спо́внить** три
твої́ бажа́ння.

I grant you ten days' leave of
absence.
The good fairy will grant you
three wishes.

1184   to grant

гро́но **виногра́ду**

1185   grapes

ґре́йпфрут

1186   grapefruit

гра́фік

1187   graph

трава́

1188   grass

ко́ник

1189   grasshopper

те́рка

1190   grater

моги́ла

1191   grave

Гра́вій розси́паний
вздовж доро́ги.

1192   gravel

Я́блука па́дають че́рез
земне́ **тяжі́ння.**

1193   **Gravity** makes apples fall.

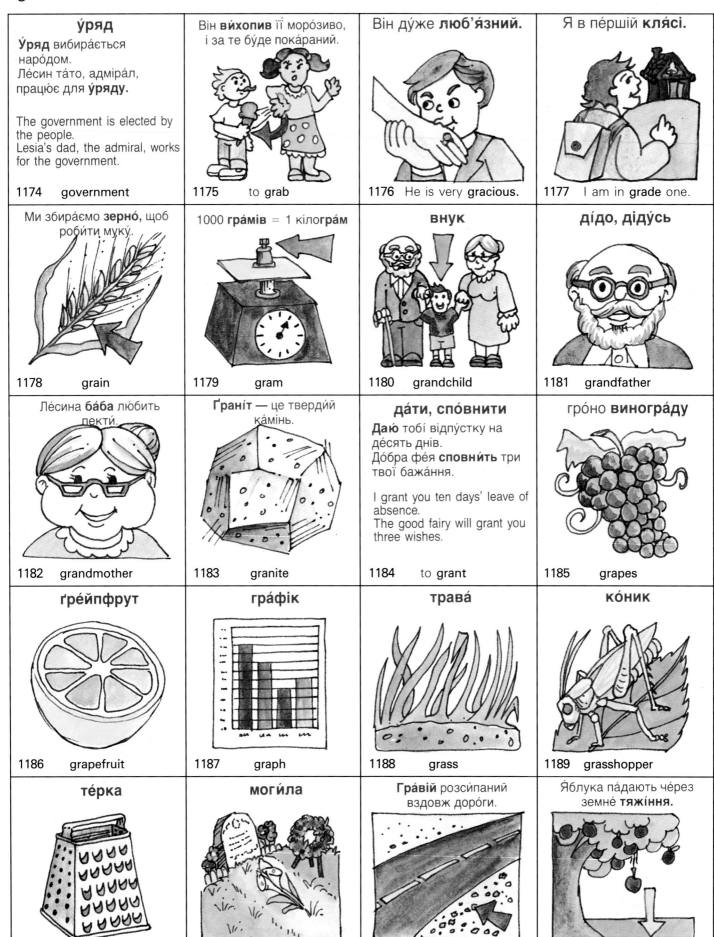

Коро́ви **пасу́ться** в по́лі.	**Масти́ло** припи́нить скрип.	**чудо́ва** за́бавка	**зажéрливий**
1194 to **graze**	1195 **grease**	1196 a **great** toy	1197 **greedy**
зелéний ко́лір	зелéна квасо́ля	тепли́ця	Тара́с за́вжди **віта́є** па́ні.
1198 **green**	1199 **green** bean	1200 **greenhouse**	1201 to **greet**
сі́рий ко́лір	сма́жити на **ра́шпері**	**заму́рзана**	Мико́лка **посміха́ється**, бо він щасли́вий.
1202 **grey***/**gray**	1203 to **grill**	1204 **grimy**	1205 to **grin**
Ма́ма **мéле** м'я́со на обі́д.	**Трима́й** руль мі́цно.	**стогна́ти**	**Бакалі́йник** ка́же їй де шука́ти.
1206 to **grind**	1207 to **grip**	1208 to **groan**	1209 **grocer**
молода́ і **молоди́й**	**Ко́нюх** догляда́є коня́.	Петру́ся **чепури́ться**.	купу́ючи **бакалі́ю**
1211 **groom**	1212 **groom**	1213 to **groom**	1210 shopping for **groceries**

жолобо́к	**Це — бридке́.**	**земля́, ґрунт**	**бабáк**
1214 groove	1215 gross	1216 ground	1217 groundhog
гру́па людéй	**рости́**	**гарчáти**	**дорóслий**
1218 group	1219 to grow	1220 to growl	1221 grown-up
вартувáти, охороня́ти	Ану, хай **вгадáю** ...	Він впускáє **гóстя.**	Він **направля́є** гóстя до йогó кімнáти.
1222 to guard	1223 to guess	1224 guest	1225 to guide
ви́нний Лéся кáже, що вонá не **ви́нна.** Хто **ви́нний** у цій крадíжці? Злóдій, що взяв слóїк з цукéрками напéвно **ви́нний.** Lesia says she is not guilty. Who is guilty of this theft? The thief who took the candy jar is certainly guilty.	**Морськí сви́нки** їдя́ть багáто.	**гітáра**	мексікáнська **затóка**
1226 guilty	1227 guinea pig	1228 guitar	1229 Gulf of Mexico
Чáйки живу́ть бíля води́.	Чи́сть **я́сна**, щоб вони́ були́ здорóві.	Є крáщі зви́чки, ніж жувáння **ґу́мки.**	Водá пливé **рівчакóм.**
1230 gull	1231 gum	1232 gum	1233 gutter

	погáна **звúчка**	**пíкша**	раптóвий **грáд**
	1234 bad **habit**	1235 haddock	1236 hail

Лéсина сестрá мáє багáто **волóсся**.	**щíтка до волóсся**	**перукáр**	Це не малá **сушáрка**.
1237 hair	1238 hairbrush	1239 hairdresser	1240 hairdryer

Чи ти хóчеш дрýгу **половúну?**	**передпóкій**	Галловíн: почастýй, абó потерпú.	**коридóр**
1241 half	1242 hall	1243 Halloween/Hallowe'en*	1244 hallway

Солдáт **зупинúвся** пéред дверúма.	**молотóк**	Мирóн **забúв** цвях.	**гамáк**
1245 to **halt**	1246 hammer	1247 to **hammer**	1248 hammock

хом'як	**рукá**	**роздавáти**	**ручнé гальмó**
1249 hamster	1250 hand	1251 to **hand out**	1252 hand brake

нару́чники	перепо́на	ру́чка	пору́ччя
	Бу́ти сліпи́м — це **перепо́на**. Лю́ди мо́жуть подола́ти бу́дь-які **перепо́ни**. Being blind is a handicap. People can overcome any handicap.		
1253 handcuffs	**1254** handicap	**1255** handle	**1256** handrail

Він ду́має, що він ду́же **вродли́вий**.	умі́ла люди́на	**Пові́сь** карти́ну рі́вно!	трима́тися
1257 handsome	**1258** **handy** person	**1259** to hang	**1260** to hang on

анга́р	Пові́сь свій плащ на **віша́к**.	ху́сточка	пові́сити
1262 hangar	**1263** hanger	**1264** handkerchief	**1261** to hang up

Ава́рії **трапля́ються**.	Він **щасли́вий**.	Корабе́ль став у **га́вані**.	зана́дто **тя́жко** розби́ти
1265 Accidents happen.	**1266** He is happy.	**1267** harbor/harbour*	**1268** hard

за́єць	Ніко́ли не **роби́ шко́ди** твари́нам!	губна́ гармо́ніка	Кінь у **збру́ї**.
1269 hare	**1270** to harm	**1271** harmonica	**1272** harness

а́рфа	**сувóра** зима́
1273 harp	1274 a **harsh** winter
Семéн **збира́є** врожа́й.	**капелю́х**
1275 to **harvest**	1276 hat
курча́ **ви́лупилося**	**соки́ра**
1277 to **hatch**	1278 hatchet
Миха́йло **тя́гне** вели́кий тяга́р	**зачарóваний** дім
1279 to **haul**	1280 **haunted** house
Íрка **ма́є** ля́льку, яку хóче Сóня.	**я́струб**
1281 to **have**	1282 hawk
Сíно для кóней.	Коли **імла́**, то й день імли́стий.
1283 hay	1284 **Haze** makes for a hazy day.
ліщи́на	**лісови́й горíх**
1285 hazel	1286 hazelnut
голова́	Я ма́ю **біль голови́.**
1287 head	1288 I have a **headache.**
підголíвник	Йогó зла́мана нога́ **вилікóвується.**
1289 headrest	1290 to **heal**
здорóва квíтка	вели́ка **ку́па** сміття́
1291 **healthy** flower	1292 heap

Я чу́ю го́лос. 1293 I **hear** a voice.	**сéрце** 1294 heart	**нагріва́ти** 1295 to heat	**обігріва́ч** 1296 heater
підійма́ти 1297 to heave	**нéбо, рай** 1298 heaven	оди́н **важки́й** слон 1299 one **heavy** elephant	Чи ти підстри́г **живопліт**? 1300 hedge
їжа́к не дикобра́з 1301 hedgehog	**п'ята́** 1302 heel	**геліко́птер, вертолі́т** 1303 helicopter	**пéкло** 1304 hell
Галло́! 1305 hello	при **кермі́** корабля́ 1306 helm	Солда́ти но́сять **шоло́ми**. 1307 helmet	Лéсина мáма тáкож любить **помагáти**. 1308 to help
немовля́ **безпо́мічне** 1309 helpless	**рубéць** 1310 hem	**півку́ля** 1311 hemisphere	**ку́рка** 1312 hen

Семику́тник ма́є сім бокі́в.

1313   heptagon

зі́лля

1314   herbs

ста́до худо́би

1315   herd

Ходи́ сюди́!

1316   Come here!

Пусте́льник живе́ насамоті.

1317   hermit

геро́й

1318   hero

героі́ня

1319   heroine

оселе́дець

1320   herring

Павло́ **вага́ється** пе́ред тим як пірну́ти.

1321   to hesitate

Шестику́тник ма́є шість бокі́в.

1322   hexagon

Ведме́ді **сплять** ці́лу зи́му.

1323   to hibernate

гика́ти

1324   to hiccup

Шку́ра твари́ни — це її́ шкі́ра.

1325   hide

схова́тися

1326   to hide

схо́ванка

1327   hiding-place

висо́ка гора́

1328   a high mountain

висо́кий житлови́й буди́нок

1329   high-rise

сере́дня шко́ла

1330   high school

шосе́

1331   highway

захопи́ти літа́к

1332   to hijack a plane

Дéрево на **горбкý**. 1333 hill	**завíса** 1334 hinge	зáдні **нóги** 1335 hind legs	рукá на **бедрí** 1336 hand on hip
гіпопотáм Дéхто йогó зве бегемóтом. 1337 hippopotamus	Я вивчáю **істóрію**. 1338 I study history.	**Вдáрити** цвях прóсто по голóвці. 1339 to hit	Бджóли живýть у **вýлику**. 1340 hive
накопи́чувати 1341 to hoard	**хрипки́й** гóлос 1342 hoarse voice	В'язáння це улю́блене **гóббі** мáми. 1343 hobby	Мій брат грáє у **гокéй**. 1344 hockey
сапá 1347 hoe	Лéся **трима́є** котá Мýрка. 1348 to hold	Лéся не пови́нна **притри́мувати** йогó так. 1349 to hold down	гокéйна **ша́йба** 1345 hockey puck
дірá 1350 hole	Дя́дько Ярéма попрацювáв, щоб заслужи́ти на **відпýстку**. 1351 holiday	Бíлки живýть в **дýплах**. 1352 hollow tree	гокéйна **клю́чка** 1346 hockey stick

гостроли́ст з я́годами	В Інді́ї коро́ви **свяще́нні**.	бі́лки **вдо́ма**	дома́шнє завда́ння
1353 holly	1354 a **holy** cow	1355 The squirrels are **home**.	1356 homework

Чи він **че́сний?**	Ведме́ді лю́блять **мед**.	медо́вий сті́льни́к	медо́ва ди́ня
1357 Is he **honest?**	1358 honey	1359 honeycomb	1360 honeydew melon

трубити	вшанува́ння	Ле́ся ма́є плащ з **капюшо́ном**.	Мото́р під **капо́том**.
1361 to **honk**	1362 honor/honour*	1363 hood	1364 hood

Ко́ні ма́ють **копи́та**.	гак	стриба́ти крізь **обру́ч**	скака́ти
1365 hoof	1366 hook	1367 jump through a **hoop**	1368 to **hop**

Юлько́ **надіється** бу́ти пе́ршим.	безнаді́йний ве́ршник	гра у „кла́са"	Со́нце схо́дить над **о́брієм**.
1369 I **hope** to win.	1370 hopeless	1371 hopscotch	1372 horizon

горизонта́льно

1373   horizontal

тру́бка

1374   horn

валто́рна

1375   French **horn**

ріг

1376   horn

Ше́ршень мо́же вжа́лити.

1377   hornet

кінь

1378   horse

Хрін ма́є го́стрий смак!

1379   horseradish

щасли́ва **підко́ва**

1380   horseshoe

ки́шка

1381   hose

ліка́рня

1382   hospital

Спра́вді **гаряче́.**

1383   hot

Таке́ **гаря́че**, що аж язи́к гори́ть.

1384   hot

Ми зупиня́ємось у **готе́лях**, коли́ подорожу́ємо.

1386   hotel

Одна́ **годи́на** ма́є шістдеся́т хвили́н.

1387   hour

пісо́чний годи́нник

1388   hourglass

пеку́чий пе́рець
На твою́ ду́мку, яки́й він **пеку́чий?**

1385   hot pepper

дім, ха́та

1389   house

Судно́ на повітря́ній поду́шці.

1390   hovercraft

Я покажу́ тобі́ **як.**

1391   I will show you **how.**

ви́ти

1392   to howl

ковпа́к  1393　hub cap	**черни́ці** 1394　huckleberry	**то́впитися** 1395　to huddle	**велете́нський** 1396　huge
ко́рпус 1397　hull	**колі́брі** 1398　hummingbird	**горб** 1399　hump	**сто** 1400　hundred
вона́ **голо́дна** 1401　She is **hungry.**	**полюва́ти** 1402　to hunt	**мета́ти** 1403　to hurl	Хто дає́ на́зви **урага́нам?** 1404　hurricane
поспіша́ти 1405　to **hurry**	Мій зап'я́сток **боли́ть.** 1406　My wrist **hurts.**	**Чоловік** і жі́нка. 1407　husband	**халу́па, хати́на** 1408　hut
буфе́т 1409　hutch	**гіяци́нт** 1410　hyacinth	Хор співа́є **гімн.** 1411　hymn	**ри́ска** **Ри́ска** — це коро́тенька з'є́днуюча лі́нія між слова́ми, що нале́жать ра́зом. Hyphens are short lines between words that belong together. 1412　hyphen

Ку́бики льо́ду в скля́нці.

1413   ice

моро́зиво

1414   ice cream

А́йсберг мо́же потопи́ти корабе́ль.

1415   iceberg

льодова́ буру́лька

1416   icicle

Глазу́р на то́рті.

1417   icing

Вона́ щось **приду́мала!**

1418   idea

тото́жні близня́та

Чи ви мо́жете нас розрізни́ти.

1419   identical twins

ідіо́т

1420   idiot

бездія́льний

1421   idle

якби́

Якби́ я мав молото́к, я б сту́кав лише́ тоді́, коли́ ніхто́ не спи́ть.
Я б тобі́ це купи́в, **якби́** я мав змо́гу.

If I had a hammer, I would only hammer when no one is sleeping.
I would buy it for you if I could.

1422   if

і́ґлу

1423   igloo

ключ **запа́лювання**

1424   ignition key

Павло́ вже кі́лька днів **хво́рий.**

1425   ill

освітли́ти

1426   to illuminate

ілюстра́ція

Малю́нки в кни́жці назива́ють **ілюстра́ціями.**
У цьо́му словнику́ бага́то **ілюстра́цій.**

Pictures in a book are called illustrations.
This dictionary has many illustrations.

1427   illustration

важли́вий

Це **важли́ва** спра́ва.
Що **важли́ве** для Лесі, для Яре́ми мо́же бу́ти не **важли́вим.**

This is an important matter.
What is important to Lesia may not be important to Yarema.

1428   important

вдо́ма, в, за

Чи Ігор **вдо́ма?**
Скачи́ **в** о́зеро!
За яки́йсь час ми довідаємося, хто взяв сло́їк з ко́ржиками.

Is Ihor in?
Go jump in the lake!
In time, we will find out who took the cookie jar.

1429   in

гори́ть **ла́дан**

1430   incense

Двана́дцять **ца́лів** — це оди́н фут.

1431   inch

índex, показник, показчик

В кінці цієї книжки є **індекс** або **показник**. **Алфавітний показчик** включає всі слова, що в цьому словнику.

There is an index at the back of the book.
The index contains all the words in this dictionary.

1432   index

колір індиґо

1433   indigo

всередині, в хаті

1434   indoors

немовля

1435   infant

Тітка Савеля має **інфекцію.**

1436   infection

заразливий

Її хвороба **заразлива**.
У тата **заразливий** сміх.
Ти можеш **заразитися**.

Her condition is infectious.
You could catch an infectious disease.
Dad has an infectious laugh.

1437   infectious

Негарно **доносити** на інших.

1438   to inform

Ведмідь **живе** в печері.

1439   The bear **inhabits** a cave.

Які твої **ініціяли?**

1440   initials

ін’єкція

1441   injection

пошкодження

1442   injury

чорнило

1443   ink

На світі багато різних **комах.**

1444   insect

Всередині коробки.

1445   inside

я **наполягаю**

1446   to insist

перевіряти, оглядати

1447   to inspect

Вживай ложку **замість** виделки!

1449   Use a spoon **instead** of a fork!

інструкції

1450   instruction

інструктор

1451   instructor

інспектор

1448   inspector

ізоля́ція

В сті́нах ха́ти вкла́дена **ізоля́ція.**
На дрота́х **ізоля́ція,** щоб люде́й не вда́рило еле́ктрикою.

There is insulation in the walls of the house.
There is insulation around the wires so people will not get a shock.

1452 insulation

перехре́стя

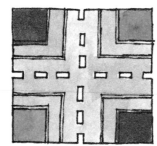

1453 intersection

інтерв'ю́

1454 interview

Дани́ло вхо́дить **у** кімна́ту.

1455 **into** the room

Мар'я́нка їх **знайо́мить.**

1456 to introduce

Ві́кінґи **вдира́лися** в і́нші краї́ни.

1457 to invade

Де́котрі ста́ли **інвалі́дами.**

1458 invalid

Чи він ді́йсно **ви́найшов** дере́ва?

1459 to invent

неви́дима люди́на

1460 invisible

Ти **запро́шена** на на́шу вечі́рку.

1461 invitation

Він її́ **запро́шує.**

1462 He is **inviting** her.

і́рис

1463 iris

Ма́рко **прасу́є** уве́сь свій о́дяг.

1464 to iron

пра́ска

1465 iron

залі́зна ма́ска

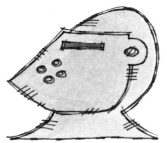

1466 **iron** mask

о́стрів

1467 island

сверблячка, свербіння

Ле́ся діста́ла **сверблячку** від отру́йного плюща́.
Свербі́ння про́йде, якщо́ вона́ не бу́де чу́хатися.

Lesia got a bad itch from poison ivy.
The itch will go away if she does not scratch.

1468 itch

свербі́ти

1469 to itch

Моя́ шкі́ра **свербля́ча.**

1470 My skin is **itchy.**

Плющ росте́ по стіні́.

1471 ivy

Лука́ **штовхну́в** мене́ в бік.

1472   to **jab**

Чи цей **жаке́т** мого́ ро́зміру?

1473   **jacket**

суперобгóртка

1474   dust **jacket**

зазу́блений край

1475   **jagged** edge

тюрма́, в'язни́ця

1476   **jail**/**gaol***

джéм, варéння

1477   **jam**

затиска́ти

1478   to **jam**

Сі́чень — пéрший мі́сяць рóку.

1479   **January**

слóїк

1480   **jar**

Ця акýла мáє **щéлепи**.

1481   **jaw**

джíнси

1482   **jeans**

джíп

1483   **jeep**

Желé на десéрт.

1484   **jelly**

реакти́вний двигýн

1485   **jet** engine

реакти́вний літáк

1486   **jet**

дорогоцíнний **самоцвíт**

1488   **jewel**

карти́нка-головолóмка

1489   **jigsaw puzzle**

викóнуючи **робóту**

1490   doing a **job**

стрýмінь водú

1487   **jet** of water

Жоке́й на скаково́му коні́.

1491 jockey

бі́гти пі́дтюпцем

1492 to jog

з'єдна́ти кінці́.

1493 to join

ліктьови́й **суглоб**

1494 joint

Дя́дько Бори́с вважа́є, що це до́брий **жарт.**

1495 joke

Суддя́ ви́рішить.

1496 judge

жонґле́р

1497 juggler

Свіжий помара́нчевий **сік.**

1498 juice

В **ли́пні** приє́мно пла́вати.

1499 July

стриба́ти

1500 to jump

вско́чити

1501 to jump in

ви́скочити

1502 to jump on

Ма́рко до́брий **стрибу́н.**

1503 jumper

джемпер

1504 jumper

сполу́чні ка́блі

1505 jumper cables

В **че́рвні** до́бре гра́ти в те́ніс.

1506 June

У **джу́нґлях** є ти́гри.

1507 jungle

Джо́нка це кита́йське судно́.

1508 junk

мо́тлох та́кож означа́є сміття

1509 junk

що́йно, ті́льки, справедли́вий

Ле́ся **що́йно** прийшла́ додо́му.
Ті́льки тро́шки, дя́кую.
Суддя́ — **справедли́ва** осо́ба.

Lesia just got home.
Just a little, thanks.
The judge is a just person.

1510 just

калейдоско́п

1511   kaleidoscope

кенґуру́

1512   kangaroo

кіль

1513   keel

Бровко́ любить свою́ **бу́ду**.

1514   kennel

зе́рня

1515   kernel

ча́йник

1516   kettle

ключ

1517   key

би́ти ного́ю

1518   to kick

Ця **дити́на** мій дру́г.

1519   kid

Козеня́ — дити́на кози́.

1520   kid

Ті́льки злочи́нці **викрада́ють** люде́й.

1521   to kidnap

ни́рка

1522   kidney

Мисли́вець **уби́в** ле́ва.

1523   to kill

Гли́няні горшки́ випа́люють у **печі́**.

1524   kiln

1 кілогра́м = 1000 гра́мів

1525   kilogram

1 кіломе́тр = 1000 ме́трів

1526   kilometer/kilometre*

В Шотла́ндії чоловіки́ но́сять **спідни́ці**.

1527   kilt

Суке́нка це **рід** о́дягу.

1528   A dress is a kind of garment.

добрози́члива ді́вчина

1529   kind girl

коро́ль — 1530 king	**риба́лочка** — 1531 kingfisher
газе́тний **кіо́ск** — 1532 kiosk	**копче́ний оселе́дець** — 1533 kippers
цілува́тися — 1534 to kiss	**Поцілу́й** мене́. — 1535 kiss
ку́хня — 1536 kitchen	запуска́ти **змі́я** — 1537 kite
Кошеня́ ви́росте і бу́де кото́м. — 1538 kitten	**кі́ві** — 1539 kiwi
колі́но — 1540 knee	**кляка́ти** — 1541 to kneel
ніж — 1542 knife	Чи ти вмі́єш **в'яза́ти** сві́тр? — 1543 to knit
дверна́ **ру́чка** — 1544 knob	**сту́кати** в две́рі — 1545 to knock
ву́зол — 1546 knot	**зна́ти** — 1547 to know
суглоб па́льця — 1548 knuckle	**Коа́ли** живу́ть в Австра́лії. — 1549 koala bear

зна́ти
Чи ти **зна́єш**, що це означа́є?
Ле́ся **зна́є** тро́шки по-францу́зькому.

Do you know what it means?
Lesia knows some French.

на **наліпці** — пересторо́га

1550   label

лябораторія

1551   laboratory

Га́рний ко́мір з **мере́жива**.

1552   lace

драби́на

1554   ladder

черпа́к

1555   ladle

да́ма, па́ні

1556   lady

Богда́н **шнуру́є** череви́ки.

1553   to lace

со́нечко

1557   ladybug

бісквітні па́льчики

1558   ladyfingers

Потво́ра в свої́м **лі́гві**.

1559   lair

Озе́ра ото́чені суходо́лом.

1560   lake

ягня́

1561   lamb

Гнідко́ — **криви́й**

1562   lame

ля́мпа

1563   lamp

ліхта́рний стовп

1564   lamp-post

спис

1565   lance

су́ша

1566   land

приземля́тися

1567   to land

площа́дка на схо́дах

1568   landing

домовла́сник

Кварти́ра, в які́й
живемо́ нале́жить
домовла́сникові.
Ми пла́тимо
домовла́сникові комі́рне
ко́жного мі́сяця.

The apartment we live in
belongs to our landlord.
We pay our landlord rent every
month.

1569 landlord

Де́які шосе́ ма́ють бага́то
лі́ній ру́ху.

1570 lane

мо́ва

Скількома́ **мо́вами** ти
гово́риш?
Украї́нська — це Ле́сина
пе́рша **мо́ва**.

How many languages can you
speak?
Ukrainian is Lesia's first
language.

1571 language

ліхта́р

1572 lantern

Дити́на сиди́ть у не́ї на
колі́нах.

1573 lap

модри́на

1574 larch

сма́лець

1575 lard

вели́кий

1576 large

жа́йворонок

1577 lark

ві́я

1578 lash

оста́нній ку́сень

1579 the **last** piece

Де́що таки́ **трива́є**.

1580 Some things do **last**.

Бу́дь ла́ска, **защіпни́**
две́рі на кля́мку.

1581 to **latch**

Лю́ди невдово́лені, якщо́
ти прихо́диш **пі́зно**.

1582 You are **late**.

ми́льна пі́на для голі́ння

1583 **lather**

смія́тися

1584 to **laugh**

Мото́ровий чо́вен привіз
па́на й па́ні Бо́йко до
бе́рега.

1585 launch

запусти́ти

1586 to **launch**

пускови́й при́стрій

1587 launchpad

бру́дна **білли́зна**

1588 dirty **laundry**

Ліля несе **прання** до автоматичної пральні.	**лаванда**	**Закон** однаковий для всіх.	Чи ти покосив **травник**?
1589　laundry	1590　lavender	1591　Obey the law!	1592　lawn
класти кахлі	**шар** на **шарі**	Він **лінивий**.	**косарка для трави**
1594　to lay tiles	1595　layer upon layer	1596　He is lazy.	1593　lawn mower
Василь **веде** коня.	**провідник** групи	**листок**	Відро **тече**.
1597　to lead	1598　leader	1599　leaf	1600　to leak
Похилена вежа Пізи.	Я **вчуся** читати.	**прив'язь, поводок**	Черевики зроблені зі **шкіри**.
1601　to lean	1602　I learn to read.	1603　leash	1604　Shoes are made of leather.
Я тільки **залишу** це тут.	Ігор **відходить**.	**карниз** вікна	**порей**
1605　to leave	1606　to leave	1607　ledge of a window	1608　leek

Поверни́ **ліво́руч** на ро́зі.	він **лівша́**	па́ра **ніг**	**леге́нда** про цикло́пів
1609 left	1610 He is left-handed.	1611 leg	1612 legend
цитри́на	**лимона́д**	Я **пози́чу** тобі цю кни́жку.	**лі́нза**
1613 lemon	1614 lemonade	1615 to lend	1616 lens
Леопа́рд полю́є.	**трико́, колго́тки**	тут **ме́нше**	**Ле́кція** від му́дрої люди́ни.
1617 leopard	1618 leotard	1619 There is **less** here.	1620 lesson
Пусти́ мене́!	**бу́ква абе́тки**	Ле́ся написа́ла цей **лист**.	**сала́та**
1621 **Let** me go!	1622 **letter** of the alphabet	1623 letter	1624 lettuce
рі́вна пове́рхня	**ва́жіль**	Ніко́ли не **бреши́.**	У **бібліоте́ці** будь ти́хо!
1625 **level** surface	1626 lever	1627 liar	1628 library

автоліце́нзія

1629   licence plate

лиза́ти

1630   to lick

по́кришка

1631   lid

Я зна́ю, якщо́ він **бре́ше.**

1632   to lie

Дити́на почина́є своє́ **життя́.**

1634   life

рятува́льний чо́вен

1635   lifeboat

підійма́ти

1636   to lift

лягти́

1633   to lie down

Включи́ **сві́тло.**

1637   light

Та́то **засві́чує** свічку.

1638   to light

ля́мпа

1639   lightbulb

Вона́ **облегшує** йому́ тяга́р.

1640   She lightens the load.

мая́к

1641   lighthouse

бли́скавка

1642   lightning

громозві́д

1643   lightning rod

Со́ні **подо́бається** її́ ко́тик.

1644   to like

ма́буть, ймові́рний

Ната́ля **ма́буть** не прийде за́втра.
Ле́сю, чи це **ймові́рна** істо́рія!

Natalia is not likely to come tomorrow.
Lesia, that is a likely story!

1645   likely

Бузо́к цвіте́ навесні́.

1646   lilac

великодні лілеї

1647   lily

гі́лка де́рева

1648   limb

лайм	**обме́ження, межа́** Цуке́рки **обме́жені** до трьох на дити́ну. Шви́дкість **обме́жена** до 50 кіломе́трів на годи́ну. There is a limit of three candies for each kid. The speed limit is 50 kilometers per hour.	**Наш сусі́д кульга́є.**	**Чи мо́жеш нарисува́ти спра́вді пряму́ лі́нію?**
1649 lime	1650 limit	1651 to limp	1652 line
білизна́	**океа́нський ла́йнер**	**Мій жаке́т ма́є те́плу підби́вку.**	**з'є́днувати**
1653 linen	1654 liner	1655 lining	1656 to link
во́рса	**лев**	**гу́би**	**губна́ пома́да**
1657 lint	1658 lion	1659 lips	1660 lipstick
Вода́ й молоко́ — це рідини́.	**Спи́сок** того́, що тре́ба зроби́ти.	**Вони́ слу́хають.**	**літр**
1661 liquid	1662 list	1663 They are listening.	1664 liter/litre*
Не сміти́ ніко́ли!	**мале́ я́блуко**	**жи́ти** Ле́ся **живе́** в мі́сті. Ті́тка Да́рка **жила́** сімдесят ро́ків. Було́ б тру́дно **жи́ти** на мі́сяці. Lesia lives in the city. Aunt Darka lived seventy years. It would be difficult to live on the moon.	**жва́ва**
1665 to litter	1666 a little apple	1667 to live	1668 lively

віта́льня

1669   living room

я́щірка

1670   lizard

Тимко́ **заряджа́є** гарма́ту.

1671   to load

Вони́ **навантажують** самоски́д.

1672   to load

сві́жий **буханець** хлі́ба

1673   loaf

позича́ти

Ко́стик **пози́чив** Ле́сі гро́ші, бо вона́ свої́ ви́тратила.

Kostyk loaned Lesia some money because she had spent her allowance.

1674   to loan

ома́р

1675   lobster

Чи ти **замкну́в** две́рі?

1676   to lock

локомоти́в

1678   locomotive

сарана́

1679   locust

Лижва́рська **хати́на** в го́рах.

1680   lodge

замо́к у две́рях

1677   lock

гори́ще

1681   loft

коло́да

1682   log

льодя́ник

1683   lollipop

само́тній

1684   lonely

Жира́фа ма́є **до́вгу** ши́ю.

1685   long

диви́тися

1686   to look

Ле́ся тче шарф на **тка́цькому верста́ті**.

1687   loom

петля́ у ли́нві

1688   loop

ремінéць занáдто **вíльний** 1689 loose	Íгор **загуби́в** рукави́цю. 1690 to lose	**Лосіóн** захищáє її шкíру. 1691 lotion	Від **голоснóї** мýзики в Уля́ни боля́ть вýха. 1692 loud
гучномóвець 1693 loudspeaker	**байдикувáти** 1694 to lounge	**любóв** **Любóв** дýже важли́ва. Лéся кáже, що коли́ є **любóв**, то є вже все. Love is very important. Lesia says that if you have love you have everything. 1695 love	Ми **лю́бимо** однé óдного. 1696 to love
прекрáсна 1697 lovely	**низькá** гíлка 1698 low branch	**спусти́ти** 1699 to lower	**щасли́вий** Юркó **мав щáстя**, що йогó посла́ли на тáбір. Лéся **щасли́ва**, що мáє такóго ми́лого малéнького брáтика. Yurko was very lucky to be sent to camp. Lesia is lucky to have such a cute little brother. 1700 lucky
багáж 1701 luggage	**лíтепла** водá áні холóдна, áні гаря́ча 1702 lukewarm water	Мáма співáє **колискóву**, щоб дити́на заснýла. 1703 lullaby	**лісоматеріáл** 1704 lumber
ґýля 1705 lump	невели́кий **дрýгий снідáнок** 1706 lunch	**скри́нька для снідáнку** 1707 lunchbox	Важли́во мáти здорóві **легéні.** 1708 lung

журна́л
1709 magazine

черва́ нега́рна
1710 maggot

незвича́йний **фо́кус**
1711 magic

магні́т
1713 magnet

Яки́й **пи́шний** о́дяг!
1714 magnificent

побі́льшуюче скло
1715 magnifying glass

фо́кусник
1712 magician

соро́ка
1716 magpie

посила́ти по́штою
1717 to mail

листоно́ша
1718 mail carrier

Що **майстру́є** Си́дір?
1719 to make

Мі́ля вжива́є **космети́ку.**
1720 makeup

саме́ць і сами́ця
1721 male

кия́нка
1722 mallet

чолові́к і жі́нка
1723 man

мандари́н
1724 mandarin

мандолі́на
1725 mandolin

Гри́ва — воло́сся на кі́нській ши́ї.
1726 mane

Ма́нґо ду́же соло́дкий о́воч.
1727 mango

В ньо́го до́брі мане́ри.

1728 He has good **manners.**

бага́то

1729 many

ка́рта, ма́па

1730 map

Ро́биться мармуро́ва статуя.

1731 marble

маршируати́

1733 to **march**

Тре́тій мі́сяць ро́ку це бе́резень.

1734 March

Коби́ла — це сами́ця коня́.

1735 mare

ку́льки

1732 marbles

нагі́дки́

1736 marigold

Відмі́ть пра́вильну ві́дповідь.

1737 to **mark**

У те́бе прекра́сні **оці́нки.**

1738 mark

Мо́жна купи́ти це на **ри́нку.**

1739 market

одружи́тися

1740 to **marry**

боло́то

1741 marsh

Ле́ся за́вжди помага́є **розмина́ти** карто́плю.

1742 to **mash** potatoes

Це ті́льки **ма́ска.**

1743 mask

ма́са

1744 mass

Ко́жний вітри́льник має **що́глу.**

1745 mast

Андрі́йка **опанува́ла** мисте́цтво їзди́ на велосипе́ді.

1746 to **master**

Те́нісний **матч.**

1747 match

Ніко́ли не гра́йся з **сірника́ми!**

1748　match

матема́тика

2
+2
—
4

1749　mathematics

спра́ва

В чім **спра́ва** з Горді́єм?

What is the matter with Hordiy?

1750　matter

матра́ц

1751　mattress

Тра́вень — п'я́тий мі́сяць ро́ку.

1752　May

мо́же, ма́буть, можли́во

Мо́же Ле́ся пови́нна лиши́тися вдо́ма.
Ма́буть ма́ма зна́є.
Ві́дповідь а́ні „так", а́ні „ні", але́ **„можли́во".**

Maybe Lesia should stay home.
Maybe Mother knows.
The answer is not yes, and it is not no, it is maybe.

1753　maybe

мер

1754　mayor

Де́хто зве це **лябіри́нтом.**

1755　maze

Лу́ки вкри́ті траво́ю і кві́тами.

1756　meadow

жа́йворонок

1757　meadowlark

стра́ва

1758　meal

пі́дла осо́ба

1759　mean person

Дві мої́ по́други ма́ють **кір.**

1760　measles

мі́ряти

1 2 3 4 5 6

1761　to measure

м'я́со

1762　meat

меха́нік

1763　mechanic

Са́ня діста́ла **меда́лю** за хоро́брість.

1764　medal

Лі́ки допомага́ють нам кра́ще чу́тися.

1765　medicine

сере́дній

1766　medium

зустрі́тися

1767　to meet

Учителí на засíданні.  1768 meeting	**ди́ня** 1769 melon	**розтопи́тися** 1770 to melt	**У на́шому клю́бі чоти́ри чле́ни.** 1771 Our club has four **members.**
меню́ 1772 menu	**ми́лість, милосе́рдя** Ми зали́шені на **ми́лість** пого́ди. Банди́т не мав **милосе́рдя** ні до ко́го. We are at the mercy of the weather. The bandit showed no mercy to anyone. 1773 mercy	**руса́лка** 1774 mermaid	**весе́лий** 1775 merry
спра́вжнє безла́ддя 1776 a real **mess**	**повідо́млення** для вас 1777 message	**послане́ць** 1778 messenger	**ку́холь з мета́лу** 1779 metal
Метеори́ти прилíта́ють з ко́смосу. 1780 meteorite	**лічи́льник** 1781 meter	**1 ме́тр** = прибли́зно 40 ца́лів 1782 meter / metre*	**ме́тод, мето́да** Ле́ся ма́є **ме́тод**, як шви́дко вчи́тися. **Ме́тод** — це спо́сіб роби́ти ре́чі. Lesia has a method for learning quickly. A method is a way of doing things. 1783 method
метроно́м 1784 metronome	Сла́вко співа́є у **мікрофо́н.** 1785 microphone	**мікроско́п** 1786 microscope	**мікрохвильо́ва піч** 1787 microwave oven

по́лудень	**в сере́дині**	**ка́рлик**	**пі́вніч**
1788 midday	1789 in the **middle**	1790 midget	1791 midnight

ми́ля

Одна́ **ми́ля** дорі́внює 1.6 кіломе́тра.
Шви́дкість обме́жена до 30 **миль** на годи́ну.

One mile equals 1.6 kilometers. The speed limit is 30 miles per hour.

1792   mile

молоко́	**млин**	блиску́чий **ро́зум**
		$E = MC^2$
1793 milk	1794 mill	1795 mind

Копа́льня гли́боко під земле́ю.	**Шахта́р** перевіря́є ка́мінь.	**мінера́ли**	**мілька́**
1796 mine	1797 miner	1798 minerals	1799 minnow

м'я́та	**мі́нус**	Шістдеся́т **хвили́н** у одні́й годи́ні.	Щось ви́йшло не так з цим **чу́дом**.
	$7 - 5 = 2$		
1800 mint	1801 minus	1802 minute	1803 miracle

Міра́ж в пусте́лі.	**дзе́ркало**	**Скупарі́** не ді́ляться ні з ким.	Мені́ **braку́є** моє́ї роди́ни.
1804 mirage	1805 mirror	1806 miser	1807 I **miss** my family.

ракéта 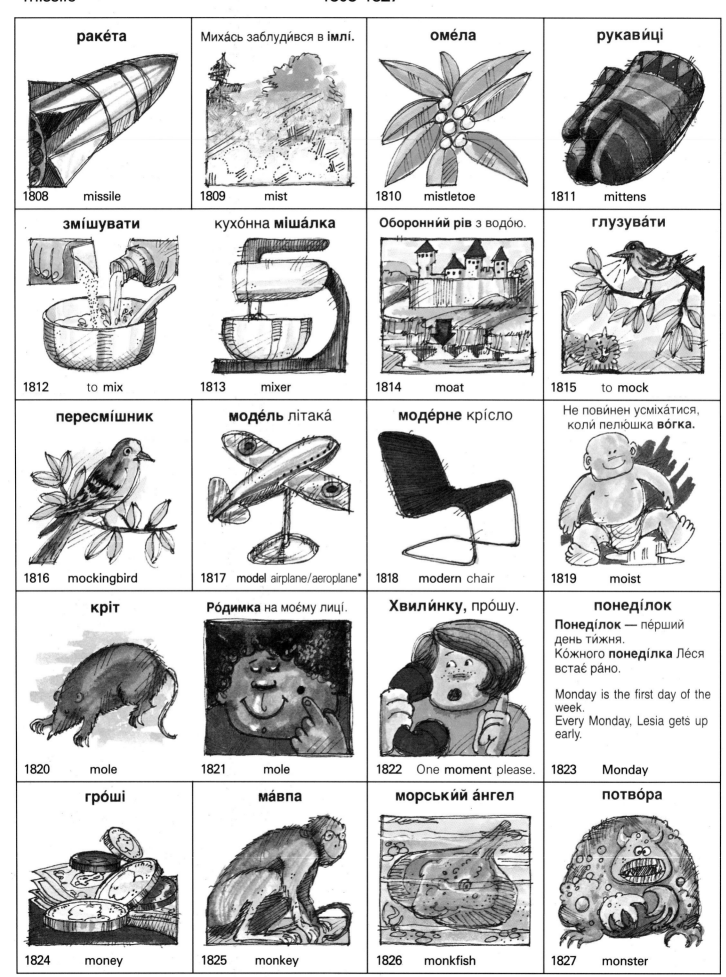 1808　missile	**Михáсь заблуди́вся в імлí.** 1809　mist	**омéла** 1810　mistletoe	**рукави́ці** 1811　mittens
змíшувати 1812　to mix	кухóнна **мíшáлка** 1813　mixer	Оборонни́й рів з водóю. 1814　moat	**глузувáти** 1815　to mock
пересмíшник 1816　mockingbird	**модéль** літакá 1817　model airplane/aeroplane*	**модéрне** крíсло 1818　modern chair	Не пови́нен усміхáтися, коли́ пелю́шка **вóгка.** 1819　moist
кріт 1820　mole	**Рóдимка** на моє́му лицí. 1821　mole	**Хвили́нку,** прóшу. 1822　One **moment** please.	**понедíлок** **Понедíлок** — пéрший день ти́жня. Кóжного **понедíлка** Лéся встає́ рáно. Monday is the first day of the week. Every Monday, Lesia gets up early. 1823　Monday
грóші 1824　money	**мáвпа** 1825　monkey	**морськи́й áнгел** 1826　monkfish	**потвóра** 1827　monster

В ро́ці 12 мі́сяців.

1828 month

Па́м'ятник вождéві.

1829 monument

Він у до́брому на́строї.

1830 He is in a good mood.

Він у пога́ному на́строї.

1831 He is in a bad mood.

мі́сяць

1832 moon

лось

1833 moose

ра́нок

1834 morning

сту́пка і товка́ч

1835 mortar and pestle

моза́їка

1836 mosaic

кома́р

1837 mosquito

мох

1838 moss

ма́ма, ма́ти

1839 mother

електри́чний мото́р

1840 motor

мотоци́кл

1841 motorcycle

торто́ва фо́рма

1842 mould*/mold

на́сип землі́

1843 mound

Щоб і́хати на пра́цю, він сіда́є на коня́.

1844 to mount

гора́

1845 mountain

ми́ша

1846 mouse

ву́са

1847 moustache*/mustache

рот
1848 mouth

Слимаки́ ру́хаються повíльно.
1849 to move

рух з бóку в бік
1850 movement

кінотеáтр
1851 movie theater/theatre*

коси́ти травни́к
1852 to mow the lawn

забагáто для мéне
1853 too much for me

Чому́ він сиди́ть у **бру́дí**?
1854 mud

мул
1855 mule

мнóжити
1856 to multiply

сви́нка
1857 mumps

Вби́ти когóсь — це жахли́вий злóчин.
1858 to murder

му́скул, м'яз
1859 muscle

музéй
1860 museum

Дéякі **гриби́** отру́йні.
1861 mushroom

Лéся лю́бить **му́зику.**
1862 music

Лéсина мáма **музикáнтка.**
1863 musician

Скóйки живу́ть у мóрі.
1864 mussel

Ти **му́сиш** скóчити!
1865 You must jump.

гірчи́ця
1866 mustard

намóрдник
1867 muzzle

N

цвях

1868 nail

ніготь

1869 fingernail

кусáчки для нíгтів

1870 nail clipper

гóлі

1872 naked

Як твоє ім'я?
Моє ім'я …

1873 My name is…

сервéтка

1874 napkin

забúти цвях

1871 to nail

завýзько, щоб пройтú

1875 too narrow to pass

Ісляндія — це нáція.

1876 nation

прирóдний

Родзúнки **прирóдне** джерелó енéрґії.
В óвочах **прирóдний** цýкор.

Raisins are a natural source of energy.
Fruit contains natural sugar.

1877 natural

прирóда прекрáсна

1878 nature

Вонá **нечéмна.**

1879 She is naughty.

навóдити на кýрс

1880 to navigate

Вонá вже **блúзько…**

1881 near

охáйний

1882 neat

неприємно, áле **необхíдно**

1883 not pleasant but necessary

шúя

1884 neck

намúсто

1885 necklace

З **нектáру** бджóли рóблять мед.

1886 nectar

нектарин

1887   nectarine

потреба

Тоді пізнаєш друга, коли в тебе **потреба.**
Леся завжди помагає друзям у **потребі.**

A friend in need is a friend indeed.
Lesia always helps her friends in need.

1888   need

Я **потребую** воду.

1889   I need water.

Чи вмієш засилити нитку в **голку**?

1890   needle

Він **нехтує** псом.

1891   He neglects his dog.

Кінь **іржé**, щоб розбудити Лесю.

1892   to neigh

сусіди

1893   neighbors/neighbours*

Ні **цей**, ні **той** не підходить.

1894   neither one fits

неонова вивіска

1895   neon sign

Мій **племінник** це син мого брата.

1896   My nephew is my brother's son.

У тілі є багато **нервів.**

1897   nerve

Омелько дуже **нервовий.**

1898   nervous

У **гнізді** два яєчка.

1899   nest

Кропива може вжалити.

1900   nettle

Ніколи, ніколи не грайся з вогнем!

1901   Never play with fire!

новий

1902   new

новини, вісті

Мама читає **новини.**
Вісті добрі.
Чи є якісь **вісті** з дому?

Mom reads the news.
The news is good.
Any news from home?

1903   news

газета

1904   newspaper

Ви **наступні!**

1905   Next !

Білка **гризе** горіх.

1906   to nibble

Одна́ з них **га́рна** дити́на.

1907   nice

ні́кель

1908   nickel

прі́звисько

Її звуть Ле́ся, але́ її **прі́звисько** „Пля́мка".

Her name is Lesia but her nickname is Pliamka.

1909   nickname

Ле́ся — Лари́сина **племі́нниця.**

1910   My **niece** is my brother's daughter.

Со́ви полю́ють **вночі́.**

1911   night

солове́йко

1912   nightingale

Кошма́р — це пога́ний сон.

1913   nightmare

де́в'ять

1914   nine

Ві́дповідь: **ні!**

1916   no

шляхе́тний

Сер Ґалаґа́д **шляхе́тний** і ще́дрий.
Помогти́ ста́ршій жі́нці перейти́ ву́лицю — **шляхе́тний** вчи́нок.

Sir Galahad is noble and generous.
Helping that old lady across the street was a noble deed.

1917   noble

шляхти́ч

1918   nobleman

дев'я́тий

1915   ninth

Тут нема́ **ніко́го.**

1919   There is **nobody** here.

Голосни́й **шум.**

1920   noise

Двана́дцята годи́на дня — це **по́лудень.**

1921   noon

пі́вніч

1922   north

На моє́му **но́сі** му́ха!

1923   nose

горі́хи

1924   nuts

щи́пці для горі́хів

1925   nutcracker

на́йлонові панчо́хи

1926   **nylon** stockings

дуб

1927 oak

Акýлі мáбуть подóбаються **вéсла!**

1928 oar

Оáза в пустéлі.

1929 oasis

подовгáсте

1930 oblong

спостерігáти

1931 to observe

Кораблі пливýть чéрез **океáн.**

1932 ocean

Восьмикýтник мáє вісім бокíв.

1933 octagon

Жóвтень — це деся́тий мíсяць рóку.

1934 October

восьминíг

1935 octopus

Одóметр покáзує, як далéко ти проїхав.

2001

1936 odometer

зáпах

1937 odor/odour*

з

Бýдь лáска, **встань з** тогó стільця́.

Please get off that chair.

1938 off

Він **пропонýє** грóші за корóву.

1939 to offer

офіцéр

1940 officer

чáсто

Лéся **чáсто** стáвить тяжкí питáння.
Як **чáсто** йде пóїзд?
Дóсить **чáсто!**

Lesia often asks difficult questions.
How often does the train run?
Often enough!

1941 often

олúва

1942 oil

мазь

1943 ointment

Дýже **старúй** чоловíк.

1944 old

Олúвки ростýть на дерéвах.

1945 olive

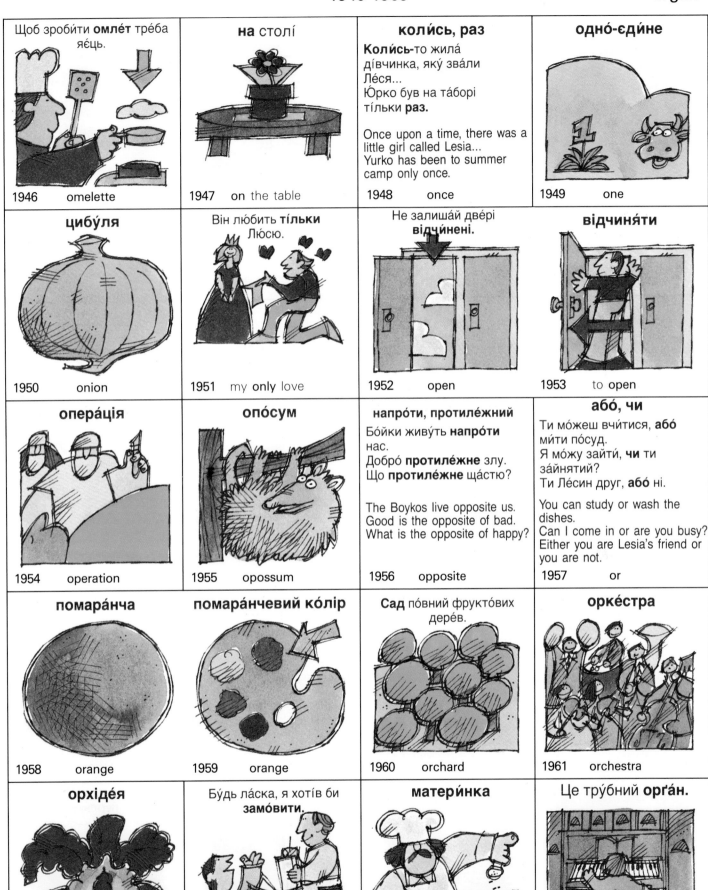

Щоб зроби́ти омле́т тре́ба яє́ць.

1946   omelette

на столі́

1947   on the table

коли́сь, раз

Коли́сь-то жила́ ді́вчинка, яку́ зва́ли Ле́ся...
Юрко́ був на та́борі ті́льки **раз.**

Once upon a time, there was a little girl called Lesia...
Yurko has been to summer camp only once.

1948   once

одно́-єди́не

1949   one

цибу́ля

1950   onion

Він лю́бить ті́льки Лю́сю.

1951   my only love

Не залиша́й две́рі відчи́нені.

1952   open

відчиня́ти

1953   to open

опера́ція

1954   operation

опо́сум

1955   opossum

напро́ти, протиле́жний

Бо́йки живу́ть **напро́ти** нас.
Добро́ **протиле́жне** злу.
Що **протиле́жне** ща́стю?

The Boykos live opposite us.
Good is the opposite of bad.
What is the opposite of happy?

1956   opposite

або́, чи

Ти мо́жеш вчи́тися, **або́** ми́ти по́суд.
Я мо́жу зайти́, **чи** ти за́йнятий?
Ти Ле́син друг, **або́** ні.

You can study or wash the dishes.
Can I come in or are you busy?
Either you are Lesia's friend or you are not.

1957   or

помара́нча

1958   orange

помара́нчевий ко́лір

1959   orange

Сад по́вний фрукто́вих дере́в.

1960   orchard

орке́стра

1961   orchestra

орхіде́я

1962   orchid

Бу́дь ла́ска, я хотів би замо́вити.

1963   to order

матери́нка

1964   oregano

Це тру́бний орга́н.

1965   organ

і́волга	**Сирота́** не ма́є батькі́в.	**Струсь** не мо́же літа́ти.	**Ви́дри** їдя́ть ри́бу.
1966 oriole	1967 orphan	1968 ostrich	1969 otter
В одному́ фу́нті шістна́дцять **у́нцій.**	на **ві́льному пові́трі**	Чи подо́бається вам моє́ **вбра́ння?**	**ова́л**
1970 ounce	1971 outdoors	1972 outfit	1973 oval
У **печі́** я́блучний пирі́г.	люди́на **за бо́ртом!**	**плащ, пальто́**	**перелива́тися**
1974 oven	1975 Man overboard!	1976 overcoat	1977 to overflow
кало́ша	**перекида́ти**	**бу́ти зобов'я́заним, бу́ти ви́нним** Ти **зобов'я́заний** поважа́ти твого́ вчи́теля. Кра́ще ніко́му не бу́ти **винни́м** гро́ші. You owe respect to your teacher. It is best not to owe any money.	**сова́**
1978 overshoe	1979 to overturn	1980 to owe	1981 owl
бу́ти вла́сником, ма́ти Ми **вла́сники** на́шої ха́ти. Бо́йки **ма́ють** коте́дж над о́зером. We own our house. The Boykos own a cottage on the lake.	**віл**	**ки́сень**	Всере́дині у́стриці є перли́на.
1982 to own	1983 ox	1984 oxygen	1985 oyster

Лéся **пакýє** свою торбинку.

1986   to **pack**

пакýнок

1987   **package**

Хтóсь написáв на моєму **блокнóті.**

1988   **pad**

Сóня тримáє **весло́.**

1990   **paddle**

Вона́ не **веслу́є** до́бре.

1991   to **paddle**

вися́чий замо́к

1992   **padlock**

пускова́ **плятфо́рма**

1989   **pad**

Бу́дь ла́ска, перегорни́ **сторі́нку.**

1993   **page**

Відро́ води́ ду́же важке́.

1994   **pail**

фа́рба

1996   **paint**

Не до́бре торка́тися **свíжої фа́рби.**

1997   wet **paint**

Тара́с уда́рив па́лець і відчува́є **біль.**

1995   **pain**

маля́р

2000   **painter**

Тíтка Павли́на наказа́ла Тара́сові **пофарбува́ти** парка́н.

1998   to **paint**

щíтка для фа́рби

1999   **paintbrush**

карти́на

2001   **painting**

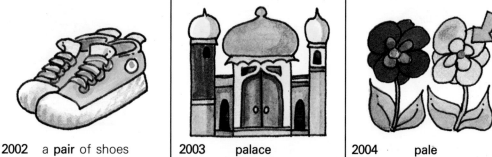

па́ра черевиків

2002   a **pair** of shoes

пала́ц

2003   **palace**

Кóлір цієї квíтки **блíди́й.**

2004   **pale**

палі́тра	Бі́лки їдя́ть з Тара́сової **доло́ні.**	**сковорода́**	**Млинці́** — Ле́сина улю́блена стра́ва.

2005 palette	2006 palm	2007 pan	2008 pancake
па́нда	**щит** управлі́ння	**свирі́ль**	**братки́**
2009 panda	2010 panel	2011 panpipe	2012 pansy
хе́кати	**пантéра**	**штани́**	**папа́йя**
2013 to pant	2014 panther	2015 pants	2016 papaya
папíр	**парашу́т**	**пара́да**	**паралéльні** лінíї
2017 paper	2018 parachute	2019 parade	2020 parallel lines
Малéнька ми́ша **паралізо́вана** стра́хом.	Лéся одéржала цей **паку́нок** по́штою.	**Роди́тель** — це ма́ма або́ та́то.	Бабу́сі подо́баються **па́рки.**
2021 paralyzed/paralysed*	2022 parcel	2023 parent	2024 park

Лесин та́то за́вжди **ста́вить** своє́ авто́ тут.

2025   to park

па́рка

2026   parka

буди́нок **парля́менту**

2027   parliament

Ця **папу́га** повто́рює ко́жне сло́во.

2028   parrot

петру́шка

2029   parsley

пастерна́к

2030   parsnip

Части́нки пи́лу літа́ють у пові́трі.

2031   particle

Мико́ла до́брий **партне́р** до та́нцю.

2032   partner

Ле́ся лю́бить **заба́ви.**

3033   party

Марі́йка **подала́** м'яч...

2034   to pass

але́ Йо́сип **знепритомнів.**

2035   to pass out

коридо́р

2036   passage

пасажи́р

2037   passenger

Тре́ба ма́ти **па́шпорт,** щоб ї́здити закордо́н.

2038   passport

мину́ле, пройти́, повз

В **мину́лому** не було́ а́ні автомобі́лів, а́ні літакі́в. Час, коли́ Ле́ся пови́нна йти спа́ти, вже **пройшо́в.** Тара́с прої́хав **повз** на́шу ха́ту.

In the past, there were no planes or cars.
It is now past Lesia's bedtime.
Taras drove past our house.

2039   past

Па́ста включа́є спаґе́тті й макаро́ни.

2040   pasta

Андрі́й **налі́плює** шпале́ри.

2041   to paste

На **дозві́ллі** вона́ лю́бить вишива́ти.

2042   pastime

Ке́кси й то́рти — це **ті́стечка.**

2043   pastry

Вівці пасу́ться на **пасови́ську.**

2044   pasture

Ла́тка, де її тре́ба.

2045 patch

сте́жка

2046 path

Ле́ся не спить. Вона́ **терпля́ча.**

2047 She is **patient.**

стурбо́ваний **паціє́нт**

2048 patient

ви́крійка на суке́нку

2049 pattern

зроби́ти па́взу, пере́рву

Прочита́вши дві сторі́нки, Ле́ся **зроби́ла па́взу** на кі́лька секу́нд.
Мені́ тре́ба **зроби́ти пере́рву,** щоб відпочи́ти.

After reading two pages, Lesia paused for a few seconds.
I have to pause for breath.

2050 to pause

ступи́ти на **хідни́к**

2051 to step on the pavement

Скі́льки **лап** ма́є кі́шка?

2052 paw

Твої́ батьки́ му́сять **плати́ти** бага́то раху́нків.

2053 to pay

таксофо́н

2054 pay phone

Мир на землі́.

2055 peace

пе́рсик

2056 peach

пави́ч

2057 peacock

шпиль

2058 peak

уда́р дзво́на

2059 peal of a bell

ара́хіс

2060 peanut

гру́ша

2061 pear

перли́на

2062 pearl

горо́х у стручку́

2063 peas

Торфо́вий мох помага́є росли́нам рости́.

2064 peat moss

Га́лька на пля́жі.	**пека́н** — це горі́х	**дзьо́бати**	**педа́ля**
2065 pebbles	2066 pecan	2067 to peck	2068 pedal
пішохі́д	**пішохі́дний пере́хід**	**обчища́ти**	**ти́снути на педа́лі**
2070 pedestrian	2071 pedestrian crossing	2072 to peel	2069 to pedal
пеліка́н	**перо́**	**олівéць**	**ма́ятниковий годи́нник**
2073 pelican	2074 pen	2075 pencil	2076 pendulum
пінґві́н	**склада́ний но́жик**	**П'ятику́тник** ма́є п'ять бокі́в.	Бага́то весе́лих **люде́й**.
2077 penguin	2078 penknife	2079 pentagon	2080 people
перцéвий млино́к	**перцéво-м'я́тна** цукéрка	**о́кунь**	пта́шка на **сі́далі**
2081 pepper	2082 peppermint	2083 perch	2084 perch

чудо́ве **викона́ння**

2085　performance

парфу́ми

2086　perfume

Кра́пка ста́виться на кінці́ ре́чення.

glurg!

2087　period

барві́нок

2088　periwinkle

осо́ба

2089　person

шкідни́к

2090　pest

Оле́г **докуча́є** та́тові.

2091　to pester

мій **улю́бленець** вуж

2092　pet

Кві́ти ма́ють **пелюстки́.**

2094　petal

пету́нія

2095　petunia

Фармаце́вт приготовля́є припи́сані лі́ки.

2096　pharmacist

Дити́на **пе́стить** соба́ку.

2093　to pet

апте́ка

2097　pharmacy

фаза́н

2098　pheasant

телефо́н

2099　phone

фотогра́фія

2100　photograph

піяні́но

2101　piano

Ви́бери ка́рту!

2102　to pick

Ва́рка **підніма́є** ля́льку.

2103　to pick up

ки́рка

2104　pickaxe

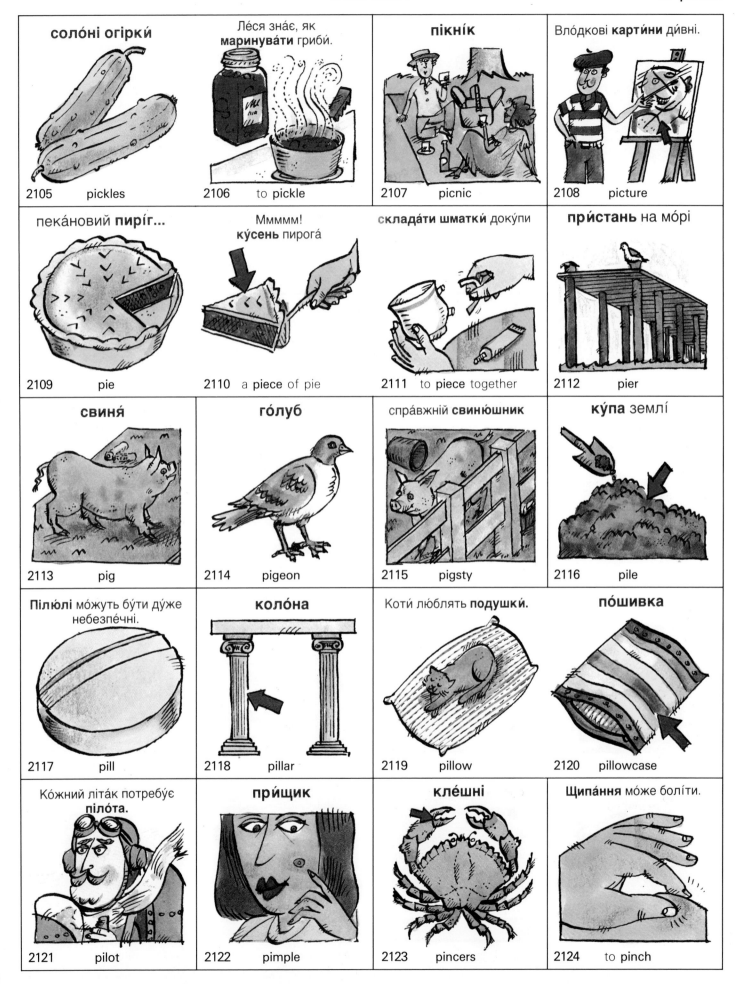

соло́ні огірки́
2105　pickles

Ле́ся зна́є, як **маринува́ти** гриби́.
2106　to **pickle**

пікні́к
2107　picnic

Вло́дкові **карти́ни** ди́вні.
2108　picture

пека́новий **пиріг**...
2109　pie

Мммммм! **ку́сень** пирога́
2110　a **piece** of pie

склада́ти шматки́ докупи
2111　to **piece** together

при́стань на мо́рі
2112　pier

свиня́
2113　pig

го́луб
2114　pigeon

спра́вжній **свинюшник**
2115　pigsty

ку́па землі́
2116　pile

Пілю́лі мо́жуть бу́ти ду́же небезпе́чні.
2117　pill

коло́на
2118　pillar

Коти́ лю́блять **подушки́.**
2119　pillow

по́шивка
2120　pillowcase

Ко́жний літа́к потребу́є **піло́та.**
2121　pilot

при́щик
2122　pimple

клешні́
2123　pincers

Щипа́ння мо́же болі́ти.
2124　to **pinch**

сосна́

2125   pine

Ананáси не ростýть на со́снах.

2126   pineapple

рожéвий кóлір

2127   pink

лю́лька

2128   pipe

піра́т

2129   pirate

фіста́шка

2130   pistachio

Дýже стари́й **пісто́ль.**

2131   pistol

Мака́р **ки́дає** м'яч.

2132   to pitch

жалíти

Лéся **жалíє** бíдного хло́пця, що загуби́в кота́.

Lesia pities the poor boy who lost his cat.

2136   to pity

мíсце

Немá дру́гого такóго **мíсця,** як у сéбе вдóма.

There is no place like home.

2137   place

ка́мбала

2138   plaice

кидо́к, тона́льність

Гей Мака́ре, це був дóбрий **кидо́к!**
Пíсня не в пра́вильній **тона́льності.**

Hey Makar, that was a good pitch!
This song is off pitch.

2133   pitch

однобáрвна соро́чка

2139   plain shirt

рівни́на

2140   plain

плянува́ти

2141   to plan

ви́ла

2134   pitchfork

Цей **руба́нок** належить тесляре́ві.

2142   plane

Плянéти навко́ло сóнця.

2143   planets

дóшка.

2144   plank

смола́

2135   pitch tar

росли́ни	**сади́ти**	**тиньк**	Петру́ся **тинькує.**
2145 plants	2146 to plant	2147 plaster	2148 to plaster
пла́стика	**пластилі́на**	Це Лéсина **тарі́лка.**	**плато́**
2149 plastic	2150 plasticine	2151 plate	2152 plateau
По́їзд бíля **плятфóрми.**	**гра́тися**	**майда́нчик для гри.**	**гра́льні ка́рти**
2153 platform	2154 to play	2155 playground	2156 playing cards
блага́ти	**приє́мний** день	**Про́шу,** скля́нку молока́.	Ця спідни́ця ма́є бага́то **скла́док.**
2157 to plead	2158 a pleasant day	2159 A glass of milk please.	2160 pleat
плоскогу́бці	**плуг**	**ску́бти**	**штéпсель**
2161 pliers	2162 plow/plough*	2163 to pluck	2164 plug

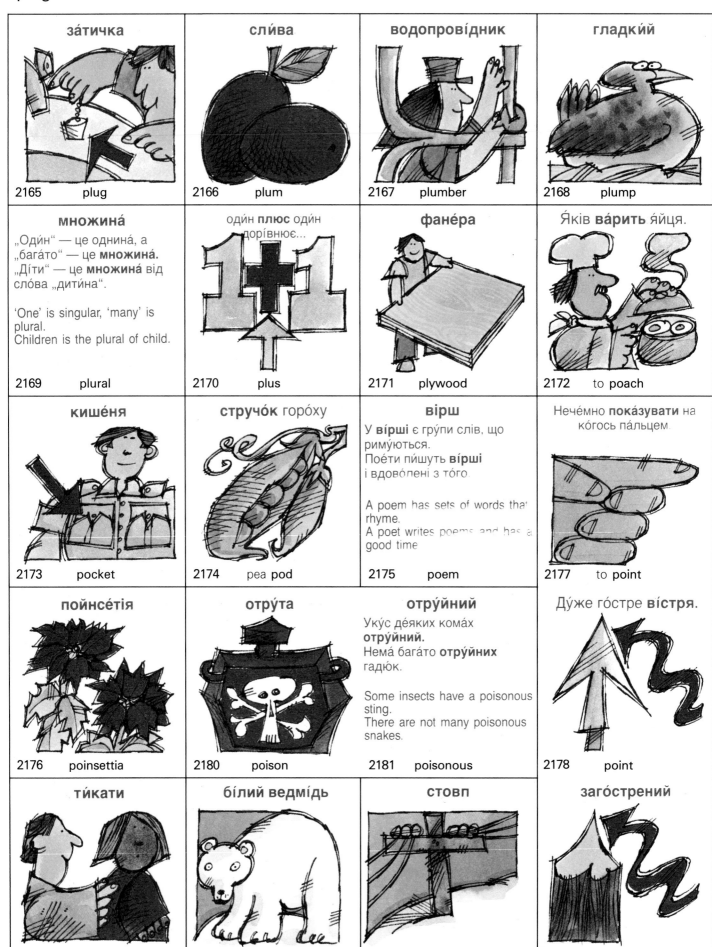

за́тичка

2165   plug

сли́ва

2166   plum

водопрові́дник

2167   plumber

гладки́й

2168   plump

множина́

„Оди́н" — це однина́, а „багато" — це **множина́.** „Ді́ти" — це **множина́** від сло́ва „дити́на".

'One' is singular, 'many' is plural.
Children is the plural of child.

2169   plural

оди́н **плюс** оди́н дорі́внює...

2170   plus

фане́ра

2171   plywood

Я́ків **ва́рить** я́йця.

2172   to poach

кише́ня

2173   pocket

стручо́к горо́ху

2174   pea pod

вірш

У **ві́рші** є гру́пи слів, що риму́ються.
Пое́ти пи́шуть **ві́рші** і вдово́лені з то́го.

A poem has sets of words that rhyme.
A poet writes poems and has a good time

2175   poem

Нече́мно **пока́зувати** на ко́гось па́льцем.

2177   to point

пойнсе́тія

2176   poinsettia

отру́та

2180   poison

отру́йний

Уку́с де́яких кома́х **отру́йний.**
Нема́ багато **отру́йних** гадю́к.

Some insects have a poisonous sting.
There are not many poisonous snakes.

2181   poisonous

Ду́же го́стре **ві́стря.**

2178   point

ти́кати

2182   to poke

білий ведмі́дь

2183   polar bear

стовп

2184   pole

заго́стрений

2179   pointed

поліцай

2185　policeman

жінка-поліцай

2186　policewoman

полірувати

2187　to polish

ввічливий, чемний

Всім подобаються **ввічливі** діти.
Кричати — це не **чемно**.
Учителька сподівається **чемної** відповіді.

Everybody likes polite children.
It is not polite to shout.
The teacher expects a polite answer.

2188　polite

пилок

2189　pollen

ґранат

2190　pomegranate

ставок

2191　pond

поні

2192　pony

розвага в **басейні**

2193　pool

Ми **поєднуємо** наші засоби.

2194　to pool

поганий, бідний

Леся дістала **погані** оцінки, бо не вчилася як слід.
Її сім'я не **бідна,** але й не багата.

Lesia had poor results because she did not work hard.
Her family is not poor, but it is not rich either.

2195　poor

бахнути

2196　to pop

тополя

2197　poplar

мак

2198　poppy

популярний

Леся **популярна** дівчина.
Ця книжка дуже **популярна.**

Lesia is a popular girl.
This book is very popular.

2199　popular

Омелько сидить на **ґанку.**

2200　porch

Пори — це маленькі отвори в шкірі.

2201　Pores are little holes in the skin.

вівсянка на сніданок

2202　porridge

порт

2203　port

портативний

Леся хоче **портативне** радіо, але вона ще не заощадила досить грошей на нього.

Lesia wants a portable radio but she has not saved up enough money from her allowance.

2204　portable

носи́льник	**Портре́т** ті́тки Васили́ни.	**стовп**	Петро́ **відсила́є** лист.
2205 porter	2206 portrait	2207 post	2208 to post
листі́вка	**плака́т**	**го́рщик**	**пошта́мт**
2210 postcard	2211 poster	2212 pot	2209 post office
карто́пля	**кера́міка**	**торби́нка**	**ки́датися**
2213 potato	2214 pottery	2215 pouch	2216 to pounce
за́города, фунт Бездо́мних соба́к беру́ть до **за́городи**. Чоти́ри бана́ни ва́жать прибли́зно оди́н **фунт**. Stray dogs are taken to the dog pound. Four bananas weigh about a pound.	**товкти́**	**налива́ти**	**ду́ти гу́би**
2217 pound	2218 to pound	2219 to pour	2220 to pout
пу́дра	**вправля́ти**	Пшени́ця росте́ на **пре́ріях**.	**хвали́ти**
2221 powder	2222 to practice/practise*	2223 prairie	2224 to praise

Кінь гарцює.	**моли́тися**	Я **волі́ю** це.	Вона́ **вагі́тна.**
2225 to prance	2226 to pray	2227 to prefer	2228 She is pregnant.
Я **прису́тній.**	**Дару́нок** на день наро́дження.	Богда́н **вруча́є** трофе́й.	овоче́ві **консе́рви**
2229 I am present.	2230 birthday present	2231 to present	2232 fruit preserves
Нати́сни на ґу́дзик.	**гарне́нька**	Сова́ схопи́ла **здо́бич.**	**ціна́**
2233 to press	2234 pretty	2235 prey	2236 price
вколо́ти	**колю́ча** твари́на	**початко́ва шко́ла**	**первоцвіт**
2237 to prick	2238 prickly animal	2239 primary school	2240 primrose
принц	**принце́са**	**дире́ктор** шко́ли	**заса́да, при́нцип**
			Засадни́чо я пого́джуюся з тобо́ю. Пе́рша **заса́да** — це тяжка́ пра́ця. Пра́вда — це свяще́нний **при́нцип.**
			In principle, I agree with you. The first principle is hard work. Truth is a sacred principle.
2241 prince	2242 princess	2243 school principal	2244 principle

друкува́ти

2245   to print

Крізь **при́зму** мо́жна
ба́чити сві́тло.

2246   prism

За свої́ зло́чини Стах
пішо́в до **в'язни́ці.**

2247   prison

в'я́зень

2248   prisoner

прива́тний

Ле́ся і я веде́мо **прива́тну**
розмо́ву.
Тара́с бере́ **прива́тні**
ле́кції.

Lesia and I are having a private
talk.
Taras takes private lessons.

2249   private

Ле́ся ви́грала пе́рший
приз у плавбі́ цього́ ро́ку.

2250   prize

зада́ча

2251   problem

проду́кти

2252   produce

Небага́то до́брих
телевізі́йних **програ́м.**

2254   program/programme*

заборо́нений

2255   prohibited

проє́кт

Сла́ва працю́є над
проє́ктом.
Ле́ся не оде́ржала до́брої
оці́нки за свій **проє́кт.**

Slava is working on a project.
Lesia did not do well on her
project.

2256   project

Ця фа́брика **продуку́є**
автомобі́лі.

2253 This factory **produces** cars.

обіця́ю

2257   I promise.

Ці ви́ла ма́ють чоти́ри
зубці́.

2258   prong

Вимовля́й слова́
обере́жно.

2259   to pronounce

До́каз, що Му́рко з'їв
пта́шку.

2260   proof of guilt

підпе́рти

2261   to prop

пропе́лер

2262   propeller

одя́гнений **як слід**

2263   properly dressed

вла́сність

Ле́ся ка́же: „Це моє́", коли́
хо́че сказа́ти: „Це моя́
вла́сність".
Ле́сина роди́на ма́є
вла́сність за мі́стом.

Lesia says "This is mine" when
she means "This is my
property".
Her family owns property in the
country.

2264   property

протестувати 2265 to protest	**Я горда киця.** 2266 I am a proud cat.	**Я це можу довести, сер.** 2267 to prove	**приказка** Ось вам **приказка**: „Хто рано встає, тому Бог дає." Here is a proverb: "An apple a day keeps the doctor away". 2268 proverb
постачати стільці 2269 to provide chairs	**Чорнослив** — це сушена слива. 2270 prune	**підрізувати** 2271 to prune	**публічний** телефон 2272 public telephone
пудинг на десерт 2273 pudding	**калюжа** 2274 puddle	**пахкати** 2275 to puff	**топірець** 2276 puffin
тягнути 2277 to pull	**шків** 2278 pulley	**пуловер** 2279 pullover	Лікар перевіряє Лесин **пульс.** 2280 pulse
помпа 2281 pump	**надувати** 2282 to pump	**гарбуз** 2283 pumpkin	**ударяти кулаком** 2284 to punch

Ви ду́же **то́чні.**	Тара́са покара́ють за те, що він **проколо́в** ши́ну.
2285 You are punctual.	2286 to puncture

кара́ти	**ка́ра**
2287 to punish	2288 punishment

Маріоне́тка подібна до Піно́кキio.	**щеня́**
2289 puppet	2290 puppy

чи́ста вода́	**пурпу́рний ко́лір**
2291 pure water	2292 purple

Коти́ **мурко́чуть,** коли́ вони́ вдово́лені.	**торби́нка**
2293 to purr	2294 purse

гна́тися за кимсь	**пха́ти**
2295 to pursue	2296 to push

Поклади́ це тут, про́шу.	**хова́ти**
2297 to put	2298 to put away

Тимко́ **відклада́є** чита́ння на пізні́ше.	**Зама́зка** де́ржить шибу на мі́сці.
2299 to put off	2300 putty

головоло́мка	**піжа́ма**
2301 puzzle	2302 pyjamas*/pajamas

піра́мі́да	**піто́н**
2303 pyramid	2304 python

пе́репел
2305　quail

я́кісний годи́нник
2306　**quality** watch

Ле́ся ка́же „як бага́то", коли́ ма́є на ува́зі „**кі́лькість**".
2307　quantity

свари́тися
2308　to **quarrel**

Є кам'яні́ **кар'є́ри** і піща́ні **кар'є́ри**.
2309　quarry

чверть
2310　quarter

Судно́ прича́лене бі́ля **на́бережної**.
2311　quay

короле́ва
2312　queen

ста́вити **пита́ння**
2313　to ask a **question**

Зроби́ це **шви́дко**!
2314　quick

він то́не в **пливуні́**
2315　quicksand

вона́ — **ти́ха**
2316　She is **quiet**.

Перо́ взя́те з пти́ці, щоб писа́ти.
2317　quill

го́лка дикобра́за
2318　porcupine **quill**

стебно́вана ко́вдра
2319　quilt

айва́
2320　quince

Сагайда́к по́вний стріл.
2321　quiver

дрижа́ти
2322　to **quiver**

о́пит

У шко́лі сього́дні був **о́пит** з правопи́су.

Our class had a quiz in spelling today.

2323　quiz

R

кро́лик

2324 rabbit

єно́т

2325 raccoon

переганя́тися

2326 to race

ві́шалка

2327 rack

Славко́ ро́бить га́мір.

2328 racket

радія́тор, калори́фер

2329 radiator

радіоприйма́ч

2330 radio

ре́дька

2331 radish

ра́діус ко́ла

2332 radius

пліт

2333 raft

відбува́ється на́скок

2334 a **raid** in progress

трима́йся **пору́ччя**

2335 hand**rail**

залізни́чна ко́лія

2336 **rail**road track

Дощ іде́, як з відра́.

2337 to **rain**

Ле́ся любить диви́тися на **весе́лку.**

2338 **rain**bow

дощови́к

2339 **rain**coat

піднести́, підня́ти

Хто любить Ле́сю,
піднесі́ть ру́ки!
Вона́ **підня́ла** ціка́ве
пита́ння.

All those who like Lesia, raise
your hands!
She has raised an interesting
question.

2340 to **raise**

Родзи́нки — це су́шений
виногра́д.

2341 **raisin**

граблі́

2342 rake

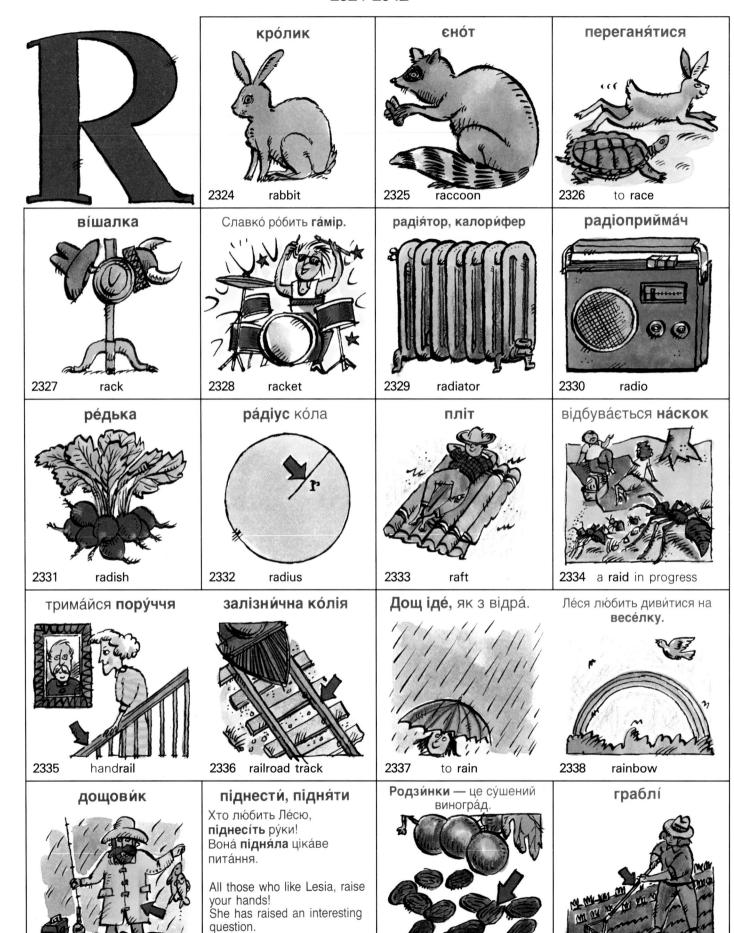

Мишко́ **сту́кає** в две́рі.	**швидки́й**	**рі́дкісний**	**Ви́сипка** на його́ лиці́.
2343 to rap	2344 rapid	2345 rare	2346 rash
мали́на	**щур**	**бря́зкальце**	**гриму́ча змія́**
2347 raspberry	2348 rat	2349 rattle	2350 rattlesnake
крук	**ненаже́рлива**	**яр**	**сире́** яйце́
2351 raven	2352 ravenous	2353 ravine	2354 a raw egg
со́нячний **про́мінь**	**бри́тва**	**досяга́ти**	**чита́ти**
2355 ray of sunlight	2356 razor	2357 to reach	2358 to read
гото́ві...	Чи це **спра́вжній** діяма́нт?	**збагну́ти**	Валенти́на **спра́вді** щасли́ва.
2359 ready	2360 real	2361 to realize	2362 Are you really here?

зад

2363   rear

заднє люстро

2364   rearview mirror

переконувати

2365   to reason

помірко́ваний, розсу́дливий

Це **помірко́вана** ціна́.
Ле́сю, про́шу, будь **розсу́дливою.**

That is a reasonable price.
Lesia, please be reasonable.

2366   reasonable

повстава́ти

Лю́ди такі́ **повстаю́ть** про́ти висо́ких пода́тків.
Спарта́к **повста́в** про́ти Ри́му.

People do rebel against high taxes.
Spartacus rebelled against Rome.

2367   to rebel

Я не **прига́дую.**

2368   I do not recall.

оде́ржати

2369   to receive

Неда́вно ви́лупилося.

2370   recently hatched

реце́пт

2371   recipe

Чи ти вмі́єш **деклямува́ти** вірш?

2372   to recite

пла́тівка   програва́ч пла́тівок

2373   record   2374   record player

ви́дужати, діста́ти наза́д

Ле́ся роздря́пала колі́но, але́ вона́ швви́дко **ви́дужає.**
Я **діста́в наза́д** усі́ книжки́, що були́ зали́шені надво́рі.

Lesia scraped her knee but she will recover quickly.
I recovered all the books that were left outside.

2375   to recover

прямоку́тник

2376   rectangle

черво́ний ко́лір

2377   red

очере́т

2378   reed

кора́ловий **риф**

2379   reef

Щось там спра́вді **тхне.**

2380   to reek

Жи́лку намо́тується на **коту́шку.**

2381   reel

суддя́

2382   referee

віддзеркáлення

2383   reflection

Нікóли не залишáй двері́й до **холоди́льника** відкри́тими.

2384   refrigerator

відмóвитися

2385   to refuse

райóн

2386   region

вписáтися

2387   to register

Тарáс **жалíє**, що так стáлося.

2388   to regret

Актóри **розýчують** п'єсу.

2389   Actors **rehearse** a play.

півні́чний óлень

2390   reindeer

ві́жки

2391   reins

рóдичі

2392   relatives

відпрýжуватися

2393   to relax

звільни́ти

2394   to release

Пам'ятáй чи́стити зýби.

2395   Remember to brush your teeth.

віддáлений óстрів

2396   remote island

Пили́п **знімáє** капелю́х.

2397   to remove

наймáти

Ми **наймáємо** кварти́ру. Якщó ви не мáєте автомобі́ля, йогó мóжна **найня́ти.**

We rent an apartment.
If you do not have a car, you can rent one.

2398   to rent

ремонтувáти

2399   to repair

Папýга **повтóрює** кóжне слóво.

2400   to repeat

заміни́ти

2401   to replace

Він спитáв, вонá **відповілá.**

2402   to reply

плазу́н

2403 reptile

Андрі́й **ряту́є** кота́.

2404 to rescue

резервуа́р

2405 reservoir

відповіда́льний

Ле́сю, ти **відповіда́льна** за свого́ моло́дшого бра́та Юрка́.
Та́то поба́чив молоко́ розли́те на підло́зі і сказа́в: „Хто **відповіда́льний** за це?"

Lesia, you are responsible for your little brother Yurko.
Dad saw the milk spilled on the floor and said: "Who is responsible for this?"

2406 responsible

відпочива́ти

2407 to rest

рестора́н

2408 restaurant

поверта́ти

Ле́ся за́вжди **поверта́є** бібліоте́чні книжки́.
Іва́н подорожу́є, але він ско́ро **пове́рнеться.**

Lesia always returns her library books.
Ivan is travelling but he will return soon.

2409 to return

зворо́тний хід

2410 reverse

носорі́г

2411 rhinoceros

ре́вінь

2412 rhubarb

Ось **ві́ршик** для те́бе:

Ско́чив ко́тик,
Сів на пло́тик,
Ми́є ро́тик
І живо́тик

Here is a rhyme for you:
Hickory dickory dock, The mouse ran up the clock.
Hickory dickory dock, The mouse ran down the clock.

2413 rhyme

ребро́

2414 rib

Чи ти вмі́єш зроби́ти бант із **стрі́чки?**

2415 ribbon

риж

2416 rice

яскра́вий, бага́тий

Ця стрі́чка **яскра́вого** черво́ного ко́льору.
Бага́ті пови́нні за́вжди допомага́ти бі́дним.

The ribbon is a rich red color.
The rich must always help the poor.

2417 rich

Ніхто́ не мо́же відгада́ти цю **зага́дку.**

2418 riddle

ї́хати ве́рхи на коні́

2419 to ride a horse

гре́бінь гори́

2420 ridge

моя́ **пра́ва** рука́

2421 my right hand

право́руч, пра́вий

На ро́зі поверни́ **право́руч.**
Ле́ся ду́має, що вона́ за́вжди **пра́ва.**

Turn right at the corner.
Lesia thinks she is always right.

2422 right

праворýкий 2423 right-handed	**шкíра** 2424 rind	**пéрстень** 2425 ring	Дя́дько Семéн **дзвóнить.** 2426 to ring
гокéйний майдáнчик 2427 rink	Лéсин тáто **сполóскує** пóсуд. 2428 to rinse	**бунт** 2429 riot	Ти, здає́ться, **розíрвáв** штани́! 2430 to rip
спíле 2431 ripe	**хвиля́стість** 2432 ripple	сóнце **схóдить** 2433 The sun rises.	**ри́зик** Зáвжди будь обере́жний, коли́ йдеш на **ри́зик**. Метеорóлог сказáв, що існýє **ри́зик** морóзу. Always be careful when taking risks. The weatherman said there was a risk of frost. 2434 risk
супéрники 2435 rivals	**рíчка** 2436 river	**дорóга** 2437 road	лев **ревé** 2438 to roar
Смачнá **пече́ня** прóсто з пéчі. 2439 roast	**Грабíжники** є злочи́нці. 2440 robber	**вільшáнка** 2441 robin	**кáмінь** 2442 rock

гойда́тися	**раке́та**	**крі́сло-го́йдалка**	**ву́дка**
2443 to rock	2444 rocket	2445 rocking chair	2446 rod
кото́к	**коти́тися**	**ро́лики**	**кача́лка**
2447 roll	2448 to roll	2449 roller skate	2450 rolling pin
Наш дім ма́є **дах** з черепи́ці.	**кімна́та**	**сиди́ти на сі́далі**	**ко́рінь**
2451 roof	2452 room	2453 to roost	2454 root
вірьо́вка	**троя́нда**	**розмари́н**	Мо́тря ма́є **рум'я́ні** що́ки.
2455 rope	2456 rose	2457 rosemary	2458 rosy
гниле́ я́блуко	до́сить **шорстка́** борода́	**кру́глий**	Чоти́ри ґу́дзики в **ряду́**.
2459 rotten apple	2460 rough	2461 round	2462 4 buttons in a row

Вона́ **веслу́є** кра́ще, ніж Миха́йло.	Коро́ль нале́жить до **королі́вської** роди́ни.	Ши́ни та м'ячі́ зро́блені з **ґу́ми.**	**смі́ття**
2463 to **row**	2464 **royal**	2465 **rubber**	2466 **rubbish**
руби́н	**кермо́**	Він **неви́хований.**	**гори́ста** місце́вість
2467 **ruby**	2468 **rudder**	2469 He is **rude.**	2470 **rugged** terrain
Руї́ни старо́го за́мку.	**пра́вити, пра́вило** Де́якими краї́нами **пра́вить** коро́ль. Ле́ся рі́дко коли́ пору́шує **пра́вила.** Some countries are under the rule of a king. Lesia seldom breaks the rules.	Коро́ль — це **прави́тель.**	Я чу́ю **гу́ркіт..**
2471 **ruin**	2472 **rule**	2473 **ruler**	2474 I hear a **rumble.**
Чи він мо́же **бі́гти** шви́дше за ку́лю?	**втіка́ти**	**переї́хати**	**ви́черпати** всю ене́ргію
2475 to **run**	2476 to **run away**	2477 to **run over**	2478 to **run out** of energy
поспіша́ти	**іржа́**	**вибо́їна**	**жи́то**
2479 to **rush**	2480 **rust**	2481 **rut**	2482 **rye**

	мішо́к муки́	Пра́вда — **свяще́нний** при́нцип.	**сумни́й**
	2483 sack	2484 Truth is a **sacred** principle.	2485 sad
сідло́	Що в **се́йфі**.	**вітри́ло, па́рус**	**вітри́льна до́шка**
2486 saddle	2487 safe	2488 sail	2489 sailboard
вітри́льник	**моря́к**	**сала́та**	Воно́ на **ви́продажі**.
2490 sailboat	2491 sailor	2492 salad	2493 sale
лосо́сь	**сіль** і **пе́рець**	**салютува́ти**	**одна́кові**
2494 salmon	2495 salt	2496 to salute	2497 same
пісо́к	**санда́ля**	Ле́ся вміє́ зроби́ти собі́ **са́ндвіч**.	**сік**
2498 sand	2499 sandal	2500 sandwich	2501 sap

Багáто **сардúнок** у бáнці. 2502 sardine	**супýтник** 2503 satellite	**сатúнова** сукéнка 2504 satin dress	**субóта** **Субóта** — шóстий день тúжня. В **субóту** дíти бáвляться. Лéся лю́бить **субóту**. Saturday is the sixth day of the week. Saturday is play day. Lesia likes Saturdays. 2505 Saturday
сос, підлúва 2506 sauce	**ковбасá** 2507 sausage	Я **заощáджую** свої грóші. 2508 I save my money.	Ця **пúлка** дýже гóстра. 2509 saw
тúрса 2511 sawdust	Я **кажý**, що я дýмаю. 2512 I say what I think.	**риштувáння** 2513 scaffolding	**пиля́ти** 2510 to saw
Вважáй, щоб не **ошпáритися**. 2514 to scald	Одúн бік на **вазí** вáжчий. 2515 scale	**Гребінцí** дýже смачнí. 2516 scallop	**шкíра на головí** 2517 scalp
Людúна зі **шрáмом**. 2518 scar	Їй подóбається його́ **лякáти**. 2519 to scare	**Страхопýд** для птáства. 2520 scarecrow	**шарф** 2521 scarf

багря́но-черво́ний ко́лір	Полі́ція на мі́сці зло́чину.	краєви́д	Нау́ка — зна́чить навча́тися.
2522 scarlet	2523 scene of a crime	2524 scenery	2525 scholarship
До ціє́ї шко́ли хо́дить Ле́ся.	шху́на	но́жиці	заче́рпувати
2526 school	2527 schooner	2528 scissors	2529 to scoop
ску́тер	обпа́лений папі́р	заби́ти ґол	бойска́ут, пласту́н
2530 scooter	2531 scorched paper	2532 to score	2533 scout
шматки́ папе́ру	Я за́вжди роздря́пую свої́ колі́на.	скреба́чка	подря́пина
2534 scraps of paper	2535 scrape	2536 scraper	2537 scratch
сі́тка	шуру́п	ви́крутка	Кири́ло чи́стить щі́ткою підло́гу.
2538 screen	2539 screw	2540 screwdriver	2541 to scrub

ску́льптор	морськи́й ко́ник	В мо́рі бага́то води́.	ча́йка
2542 sculptor	2543 seahorse	2544 Adriatic sea	2545 seagull

тюле́нь	шов	шука́ти	проже́ктор
2546 seal	2547 seam	2548 to search	2549 searchlight

Чоти́ри пори́ ро́ку:
Весна́
Лі́то
О́сінь
Зима́

The four seasons are:
Spring Summer Autumn Winter

	сиді́ння	Ле́ся застібну́ла прив'язни́й ре́мінь.	во́дорість
2550 seasons	2551 seat	2552 seatbelt	2553 seaweed

дру́гий	Ле́ся вмі́є зберіга́ти таємни́цю.	ба́чити	го́йдалка
2554 second	2555 I have a secret.	2556 to see	2557 see-saw

насі́ння	Воно́ здає́ться ме́ртве.	хапа́ти	Ле́сі не подо́баються самолю́бні ді́ти.
2558 seed	2559 It seems dead.	2560 to seize	2561 You are selfish.

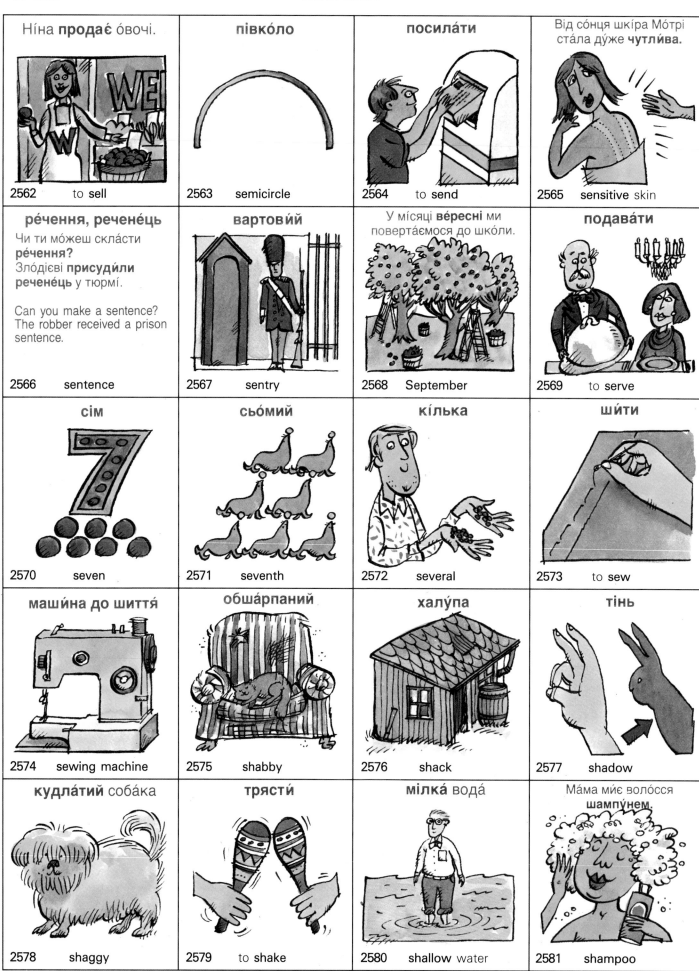

Ніна продає́ о́вочі.

2562 to sell

півко́ло

2563 semicircle

посила́ти

2564 to send

Від со́нця шкі́ра Мо́трі ста́ла ду́же чутли́ва.

2565 sensitive skin

ре́чення, речене́ць

Чи ти мо́жеш скла́сти **ре́чення?**
Злоді́єві **присуди́ли** **речене́ць** у тюрмі́.

Can you make a sentence?
The robber received a prison sentence.

2566 sentence

вартови́й

2567 sentry

У мі́сяці ве́ресні ми поверта́ємося до шко́ли.

2568 September

подава́ти

2569 to serve

сім

2570 seven

сьо́мий

2571 seventh

кі́лька

2572 several

ши́ти

2573 to sew

маши́на до шиття́

2574 sewing machine

обша́рпаний

2575 shabby

халу́па

2576 shack

тінь

2577 shadow

кудла́тий соба́ка

2578 shaggy

трясти́

2579 to shake

мілка́ вода́

2580 shallow water

Ма́ма ми́є воло́сся шампу́нем.

2581 shampoo

Ми мо́жемо **поділи́тися.**	Чи ця **аку́ла** вчи́ться літа́ти?	**го́стрий**	**точи́ло** для ножа́
2582 to **share**	2583 **shark**	2584 **sharp**	2585 knife **sharpener**
скля́нка **розби́лася**	**голи́тися**	**но́жиці**	**точи́ло** для ковзані́в
2588 to **shatter**	2589 to **shave**	2590 **shears**	2586 skate **sharpener**
пі́хви	Пе́рше ніж засну́ти, Ле́ся рахує́ **ві́вці.**	**простира́ло**	**застру́гувач** для олівці́в
2591 **sheath**	2592 **sheep**	2593 **sheet**	2587 pencil **sharpener**
поли́ця	**черепа́шка**	**приту́лок**	**пасту́х**
2594 **shelf**	2595 **shell**	2596 **shelter**	2597 **shepherd**
щит	**голі́нка**	Со́нце **сві́тить** яскра́во.	**ґонт**
2598 **shield**	2599 **shin**	2600 to **shine**	2601 **shingle**

лиша́й — це хворо́ба 2602 shingles	блиску́чий 2603 shiny	корабе́ль 2604 ship	корабе́льна ава́рія 2605 shipwreck
соро́чка 2606 shirt	тремті́ти 2607 to shiver	Стережи́ся електри́чного уда́ру! 2608 shock	черевики 2609 shoes
шнуро́к 2610 shoelace	швець 2611 shoemaker	стріля́ти 2612 to shoot	крамни́ця 2613 shop
крама́р 2614 shopkeeper	вітри́на 2615 shop window	бе́рег 2616 shore	низьки́й 2617 short
шо́рти 2618 shorts	плече́, раме́но 2619 shoulder	крича́ти 2620 to shout	Ду́же неви́ховано штовха́ти люде́й. 2621 to shove

лопа́та для сні́гу	**пока́зувати**	**чва́нитися**	Він наре́шті **з'яви́вся.**
2622 shovel	2623 to show	2624 to show off	2625 He finally showed up.
Не́стір бере́ **душ.**	**вереща́ти**	**креве́тка**	**збіга́тися**
2626 shower	2627 to shriek	2628 shrimp	2629 to shrink
кущ	Пан Ско́рий **тасу́є** ка́рти.	**віко́нниці**	**соромли́вий**
2630 shrub	2631 shuffle	2632 shutters	2633 shy
хво́рий	**бік, сторона́**	За́вжди ходи́ по **хідни́ку.**	тяжке́ **зітха́ння**
2634 sick	2635 side	2636 sidewalk	2637 to sigh
на́пис	**сиґналізува́ти**	**пі́дпис**	**мовчазни́й**
			Ле́ся рі́дко буває **мовчазно́ю.** **Мовчазна́** ніч — це ти́ха ніч. Lesia is not silent very often. A silent night is a quiet night.
2638 sign	2639 to signal	2640 signature	2641 silent

підвіко́ння

2642   sill

дурни́й, нерозу́мний

Євге́н ду́має, що Ле́ся **дурне́нька**.
А Ле́ся зна́є, що Євге́н ро́бить **нерозу́мні** ре́чі.

Yevhen thinks Lesia is silly.
Lesia thinks Yevhen does silly things.

2643   silly

срі́бло

2644   silver

прости́й

Це пра́вда — чи́ста й **проста́**.
Розв'я́зка ду́же **проста́**.

That is the truth, pure and simple.
There is a simple solution.

2645   simple

співа́ти

2646   to sing

Однина́

„Оди́н" — **однина́**,
а „кі́лька" — **множина́**.

'One' is singular.
'Several' is plural.

2647   singular

ра́ковина

2648   sink

Потони́ або́ пливи́!

2649   to sink

Мар'я́нка **п'є** пово́лі.

2650   to sip

сире́на

2651   siren

сестра́

2652   sister

сиді́ти

2653   to sit

шість

2654   six

шо́ста

2655   sixth

Чи ма́єте мій **ро́змір**?

2656   size

ко́взатися

2657   to skate

самока́т

2658   skateboard

Зві́дки взя́вся **кістя́к** у мої́й ша́фі?

2659   skeleton

роби́ти ескі́зи

2660   to sketch

ли́жви

2661   skis

ї́здити на ли́жвах	**буксува́ти**	**шкі́ра**	**скака́ти**
2662 to ski	2663 to skid	2664 skin	2665 to skip
шкі́пер	**спідни́ця**	**че́реп**	На **не́бі** хма́ри.
2666 skipper	2667 skirt	2668 skull	2669 sky
жа́йворонок	**Хмарочо́с** — це ду́же висо́кий буди́нок.	Він **гримнув** двери́ма.	**похи́ла** підло́га
2670 skylark	2671 skyscraper	2672 to slam	2673 slanted floor
ля́скати	Зо́рро зно́ву **руба́ється** всю́ди.	**гри́фельна до́шка**	**са́нки**
2674 to slap	2675 to slash	2676 slate	2677 sled
Зо́рро **спить.**	**спа́льний мішо́к**	Павло́ **со́нний.**	**сльота́**
2678 to sleep	2679 sleeping bag	2680 sleepy	2681 sleet

рука́в	спуска́лка	струнка́	слизьке́ створіння
2682 sleeve	2683 slide	2684 slim	2685 slimy

рука́ на пере́в'язі	рога́тка	послизну́тися	ка́пець
2686 sling	2687 slingshot	2688 to slip	2689 slipper

слизьке́	Що за нечепу́ра!	схил	о́твір, про́різ
2690 slippery	2691 slob	2692 slope	2693 slot

не го́рбся	сповільня́ти	та́лий сніг	мали́й
	Авто́ сповільнює швидкість на ро́зі. Пові́льніше, та́ту! Ти зашвидко йдеш. The car slows down at the corner. Slow down, Dad! You are going too fast.		
2694 to slouch	2695 to slow down	2696 slush	2697 small

розу́мний, мо́дний	Не розбива́й годи́нник!	розма́зувати	Федько́ ню́хає квітку.
Ле́ся ду́має, що вона́ ду́же розу́мна, бо здала́ свій іспит. Це було́ зро́блено розу́мно. Lesia thinks she is very smart because she passed her exam. That was a smart thing to do.			
2698 smart	2699 to smash	2700 to smear	2701 to smell

Що за **смердю́чий** скунс!	Ті що **ку́рять**, подíбні до скунсів.	**гла́дкий, легки́й** Лід, на яко́му ко́взається Ле́ся ду́же **гладе́нький**. До́брий піло́т за́вжди призе́млюється **ле́гко**. The ice Lesia is skating on is very smooth. A good airplane pilot makes smooth landings.	**переку́шувати**
2702 smelly	2703 to smoke	2704 smooth	2705 to snack
слима́к	**змія́, гадю́ка**	**лама́ти**	**ке́ди**
2706 snail	2707 snake	2708 to snap	2709 sneakers
чха́ти	**шно́ркель**	**сніг**	**сніжи́нка**
2710 to sneeze	2711 snorkel	2712 snow	2713 snowflake
снігосту́пи	Ми́йся **ми́лом** і водо́ю!	Це назива́ється **со́ккер** в Аме́риці, а **футбо́л** в А́нглії.	**шкарпе́тка**
2714 snowshoes	2715 soap	2716 soccer	2717 sock
розе́тка	**софа́, кана́па**	м'яки́й і приголу́бливий	**солда́т**
2718 socket	2719 sofa	2720 soft	2721 soldier

морськи́й язи́к

2722   sole

Вона розв'язу́є задачу.

2723   She solves the problem.

стриба́ти переве́ртом

2724   to somersault

син

2725   son

пісня

2726   song

незаба́ром, ско́ро, шви́дко

Незаба́ром ста́не те́мно.
Ле́ся **ско́ро** бу́де вдо́ма.
Їй **шви́дко** набри́дла її́ нова́ ля́лька.

Soon it will be dark.
Lesia will be home soon.
She soon tired of her new doll.

2727   soon

чаклу́н

2728   sorcerer

Моя́ рука́ боли́ть.

2729   My arm is sore.

Щаве́ль ду́же смачни́й.

2730   sorrel

Лапко́ спра́вді **шкоду́є.**

2731   sorry

сортува́ти

2732   to sort

суп

2733   soup

ки́слий

2734   sour

пі́вдень

2735   south

Льо́ха — це ма́ма порося́т.

2736   sow

сі́яти

2737   to sow

космі́чний корабе́ль

2738   spaceship

за́ступ

2739   spade

ви́бити

2740   to spank

Ко́жний автомобі́ль му́сить ма́ти **запасне́ ко́лесо.**

2741   spare tire/tyre*

іскра	Її пе́рстені **вибли́скують** на со́нці.	**горобе́ць.**	Вони́ оби́два **гово́рять** англі́йською мо́вою.
2742 spark	2743 to sparkle	2744 sparrow	2745 to speak
спис	Черепа́ха пові́льна на́віть тоді́, коли́ **приспі́шує** хід.	**розбира́ти по бу́квах**	**витрача́ти**
2746 spear	2747 to speed up	2748 to spell	2749 to spend
ку́ля кру́гла	го́стре й **пря́не**	**Паву́к** снує́ павути́ну.	**зубе́ць**
2750 sphere	2751 spicy	2752 spider	2753 spike
розли́ти	**крути́тися**	**шпіна́т**	Це та́кож зве́ться „хребе́т".
2754 to spill	2755 to spin	2756 spinach	2757 spine
спіра́ля	**дзвіни́ця**	Ви́ховані лю́ди ніко́ли не **плюю́ть.**	**хлю́патися**
2758 spiral	2759 spire	2760 to spit	2761 to splash

Всюди **тріски.**	**зіпсу́тий** о́воч	гу́бка	**шпу́лька** нито́к
2762 splinter	2763 spoiled fruit	2764 sponge	2765 spool of thread
ло́жка	Зві́дки взяла́ся ця **пля́ма?**	но́сик	Ле́ся **ви́вихнула** но́гу.
2766 spoon	2767 spot	2768 spout	2769 to sprain
обпри́скувати	нама́зувати	пружи́на	Наре́шті вже **весна́!**
2770 to spray	2771 to spread	2772 spring	2773 spring
посипа́ти	Вона́ **спринту́є,** щоб ви́грати.	яли́на	**Струмо́к** тече́ шви́дко.
2775 to sprinkle	2776 to sprint	2777 spruce	2774 spring
квадра́т	кабачо́к	сиді́ти навпо́чіпки	Ле́ся **стиска́є** та обніма́є свою́ по́другу.
2778 square	2779 squash	2780 to squat	2781 to squeeze

каракáтиця	бíлка, вúвірка	цвíркати	кóні в стáйні
2782　squid	2783　squirrel	2784　to squirt	2785　stable

танцюрúстка на сцéні	пляма	схóди	дерев'яний кіл
2786　stage	2787　stain	2788　staircase	2789　wooden stake

черствúй	Стéбла селéри	Жеребéць — це самéць коня́.	мáрка
Черствúй хліб сухúй і твердúй. Stale bread is dry and hard.			
2790　stale bread	2791　celery stalk	2792　stallion	2793　stamp

стоя́ти	Блúмай, блúмай, малá зóре!	Лéся задивúлася на тéбе.	шпак
2794　to stand	2795　star	2796　to stare	2797　starling

заводити автомобíль	голодувáти	бензúнова стáнція	залізнúчна стáнція
	Колú Лéся кáже: „Я голодýю", це знáчить, що вонá голóдна. Ти не бýдеш голодувáти, Лéсю! When Lesia says ''I'm starving'', she means that she is hungry. You will not starve, Lesia!		
2798　to start a car	2799　to starve	2800　gas station	2801　train station

статýя	**Залишáйся** там!	**біфштéкс**	**крáсти**
2802 statue	2803 Stay there!	2804 steak	2805 to steal
пáра	Ножí рóблять із **стáлі.**	**стрímко**	**бик**
2806 steam	2807 Knives are made of steel.	2808 steep	2809 steer
стебло́	**схíдка**	Вона́ **вступи́ла** в калю́жу.	**керувáти**
2811 stem	2812 step	2813 to step in	2810 to steer
На вечéрю тáто приготувáв **тушкóване м'я́со**	**прут, ломáчка**	**Ви́йти** на хвили́нку.	Я́ркові рýки **липкí.**
2815 stew	2816 stick	2814 to step out for a minute	2817 sticky
шти́вний У дя́дька Йóсипа **шти́вна** ногá. Uncle Yosyp has a stiff leg.	Воно́ спрáвді **вжáлене.**	**Укýс** бджоли́.	Скýнси **смердя́ть.**
2818 stiff	2819 to sting	2820 sting	2821 to stink

Розмішáй пéред тим як куштувáти!	**панчóхи**	**топи́ти**	**шлу́нок**
2822 to stir	2823 stockings	2824 to stoke	2825 stomach
Небезпéчно ки́дати **камíння.**	**дзи́ґлик**	Вонá **нахиля́ється**, щоб підня́ти м'яч.	**стоп**
2826 stone	2827 stool	2828 to stoop	2829 stop
крамни́ця	Чи це той **бузькó**, що приніс Лéсю?	**бу́ря**	Він **зупиня́є** пóїзд.
2832 store	2833 stork	2834 storm	2830 He stops the train.
Тíтка Дáрка читáє **оповідáння.**	**піч**	**прями́й**	**промíжна зупи́нка**
2835 story	2836 stove	2837 straight	2831 stop-over
процíди́ти	**напру́жуватися**	Ду́же **ди́вна** твари́на.	Андрíй підійшóв забли́зько, і тепéр мáвпа **ду́шить** йогó.
2838 to strain	2839 to strain	2840 strange	2841 to strangle

бретéлька	солóмка	суни́ця	потíк

2842 strap	2843 straw	2844 strawberry	2845 stream

ви́мпел	вýлиця	вýличний ліхтáр	Як далéко змóже вонá це розтягнýти.
2846 streamer	2847 street	2848 street light	2849 to stretch

нóші	страйк	Негáрно би́ти людéй.	шнурóк
	Робітники́ ви́йшли на **страйк,** щоб дістава́ти бíльше грóшей. The workers are on strike for more money.		
2850 stretcher	2851 strike	2852 to strike	2853 string

багáто **смуг**	си́льний	студéнт	студіюва́ти
2854 stripe	2855 strong	2856 student	2857 to study

Напха́та іграшка — звіря́тко.	пень	Підвóдний чóвен пливé під водóю.	віднíма́ти
2858 a stuffed animal	2859 stump	2860 submarine	2861 to subtract

смокта́ти	**ра́птом, рапто́во** **Ра́птом** поча́вся дощ. Петру́ся **рапто́во** ви́йшла. Suddenly, it began to rain. Petrusia left suddenly.	Забага́то **цу́кру** — нездо́рово.	**костю́м, убра́ння**
2862 to suck	2863 suddenly	2864 sugar	2865 suit
валі́за	**лі́то**	**со́нце**	**неді́ля** **Неді́ля** — сьо́мий день ти́жня. Sunday is the seventh day of the week.
2866 suitcase	2867 summer	2868 sun	2869 Sunday
Со́нячний годи́нник пока́зує час.	**Со́няшник** за́вжди зве́рнений до со́нця.	**схід со́нця**	**за́хід со́нця**
2870 sundial	2871 sunflower	2872 sunrise	2873 sunset
Ми купу́ємо в **супермарке́ті**.	**вече́ря**	**пе́вний, напе́вно** Я **пе́вна,** що за́втра бу́де га́рний день. Ле́ся **напе́вно** за́втра пі́де. Це **пе́вний** спо́сіб ви́грати. I am sure tomorrow will be a sunny day. Lesia will go tomorrow for sure. That is a sure way to win.	**пове́рхня**
2874 supermarket	2875 supper	2876 sure	2877 surface
хіру́рг	**прі́звище** Моє́ ім'я́ — Ле́ся, а **прі́звище** — Мака́ренко. My first name is Lesia and my surname is Makarenko.	забава-**несподіванка**	**здава́тися**
2878 surgeon	2879 surname	2880 sur**pri**se party	2881 to **surrender**

Вони́ оточи́ли його́. 2882　to surround	**шле́йки** 2883　suspenders	**ковта́ти** 2884　to swallow	**ле́бідь** 2885　swan
міня́тися 2886　to swap	**Рій** серди́тих бджіл. 2887　swarm	**поті́ти** 2888　to sweat	**светр** 2889　sweater
заміта́ти 2890　to sweep	**соло́дке** 2891　sweet	Авто́ **на́гло зверну́ло**, щоб ви́минути кота́. 2892　to swerve	**пливти́** 2893　to swim

го́йдалка 2894　swing	**гойда́тися** 2895　to swing	**вимика́ч** 2896　switch	**вмика́ти, міня́тися, вимика́ти** Про́шу, **увімкни́** сві́тло. Мо́же **поміня́ємося** місця́ми, щоб ти кра́ще ба́чив? Кра́ще **ви́мкни** телеві́зор. Switch on the light, please. Shall we switch seats so you can see better? It is best to switch off the television. 2897　to switch

ки́датися вниз 2898　to swoop	**меч** 2899　sword	**я́вір** 2900　sycamore	млинці́ з кле́новим **сиро́пом** 2901　syrup

стіл

2902　table

скатерти́на

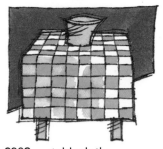

2903　tablecloth

табле́тка

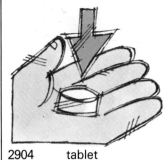

2904　tablet

кно́пка

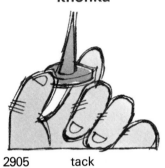

2905　tack

взя́тися

Ле́ся му́сить незаба́ром **взя́тися** за ту пробле́му.

Lesia must tackle that problem soon.

2906　to tackle

Пу́головки стаю́ть жа́бами.

2907　tadpole

хвіст

2908　tail

бра́ти

2910　to take

розбира́ти

2911　to take apart

забира́ти

2912　to take away

бра́ти наза́д

2913　to take back

скида́ти

2914　to take off

здійма́тися

2915　to take off

вийма́ти

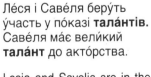

2916　to take out

нави́нос

2917　take-out

краве́ць

2909　tailor

плі́тка

2918　tale

тала́нт

Ле́ся і Саве́ля беру́ть у́часть у по́казі **тала́нтів**. Саве́ля ма́є вели́кий **тала́нт** до акто́рства.

Lesia and Savelia are in the talent show.
Savelia has a great talent for acting.

2919　talent

говори́ти

2920　to talk

висо́кий	**бу́бон**	Ле́ви в ци́рку **приру́чені**.	**зага́р**
2921 tall	2922 tambourine	2923 tame	2924 tan
мандари́н	**заплу́тане**	**цисте́рна**	**та́нкер**
2925 tangerine	2926 tangled	2927 tank	2928 tanker
Цей **кран** ка́пає.	**липка́ стрі́чка**	**приліплювати липко́ю стрі́чкою**	**магнітофо́н**
2929 tap	2930 tape	2931 to tape	2932 tape recorder
смола́	**ціль, мета́**	**естраго́н**	**пиріжо́к**
2933 tar	2934 target	2935 tarragon	2936 tart
Його́ **завда́ння** замести́ підло́гу.	**куштува́ти**	**смачни́й** Це ду́же **смачна́** стра́ва. This is very tasty food.	**таксі́**
2937 task	2938 to taste	2939 tasty	2940 taxicab

чáшка **чáю** 2941 a cup of **tea**	Пáнна Шевчýк **вчи́ть** нас у шко́лі. 2942 to **teach**	Вона́ нáша **вчи́телька.** 2943 **teacher**	Всі в одні́й **кома́нді.** 2944 **team**
чáйник 2945 **teapot**	**сльоза́** 2946 **tear**	**рва́ти** 2947 to **tear**	Ніко́ли не **вирива́й** сторі́нки! 2948 to **tear** out
телегра́ма 2949 **telegram**	**телефо́н** 2950 **telephone**	**телефонува́ти** 2951 to **telephone**	**телеско́п** 2952 **telescope**
Телеві́зію та́кож звуть ТіВі. 2953 **television**	**каза́ти** 2954 to **tell**	**вда́ча, хара́ктер** У Лапка́ пога́на **вда́ча.** Він не мо́же стри́мувати свого́ **хара́ктеру.** Lapko has a bad temper. He cannot control his temper. 2955 **temper**	**температу́ра** 2956 **temperature**
дéсять я́блук 2957 **ten** apples	**Тéнісна** ракéтка і м'яч. 2958 **tennis** racquet and ball	**тéнісний** черевúк 2959 **tennis** shoe	Лéся вже спа́ла в **шатрí.** 2960 **tent**

десятий	комп'ютерний пункт	перевіряти воду	дякувати
2961 tenth	2962 terminal	2963 to **test** the water	2964 to thank

Земля **тане** весною.	театр	там	термометр
2965 to thaw	2966 theater/theatre*	2967 there	2968 thermometer

товсте	Злодія також називають грабіжником.	стегно	наперсток
2969 thick	2970 thief	2971 thigh	2972 thimble

тонке	річ	думати	третій
	Людина не **річ**. Леся каже багато смішних **речей**. A person is not a thing. Lesia says many funny things.		
2973 thin	2974 thing	2975 to **think**	2976 third

спраглий	будяк	Колючки можуть завдати болю.	нитка
2977 thirsty	2978 thistle	2979 thorn	2980 thread

Ле́ся мо́же **засили́ти** ни́тку лише́ у вели́ку го́лку.	**три**	**порі́г**	**го́рло**
2981 to thread	2982 three	2983 threshold	2984 throat
трон короле́ви	**ки́дати**	**блюва́ти**	**великий па́лець**
2985 throne	2986 to throw	2987 to throw up	2988 thumb
Голосни́й уда́р **гро́му**.	**громови́ця, гроза́**	**четве́р** **Четве́р** є четве́ртий день ти́жня. Ле́ся хо́дить на ле́кції плавби́ по **четверга́м**. Thursday is the fourth day of the week. Lesia goes to swimming class on Thursdays.	**чебре́ць**
2989 thunder	2990 thunderstorm	2991 Thursday	2992 thyme
квито́к	**лоскота́ти**	Хоч оди́н з них **оха́йний!**	Я мо́жу сам зав'яза́ти свою́ **крава́тку**.
2993 ticket	2994 to tickle	2995 tidy	2996 tie
тигр	**стяга́ти**	**ка́хлі**	**зав'я́зувати**
2998 tiger	2999 to tighten	3000 tiles	2997 to tie

Чо́вен нахиля́ється небезпе́чно.

3001   to **tilt**

Котра́ **годи́на?**

3002   What time is it?

мале́сенька

3003   **tiny**

Чо́вен переќнувся.

3004   to **tip**

ходи́ти навшпи́ньки

3006   to **tiptoe**

Наш автомобі́ль потребує нові́ **ши́ни.**

3007   **tire/tyre***

вто́млений

3008   **tired**

дава́ти „на чай"

3005   to **tip**

ропу́ха

3009   **toad**

гр́нка з дже́мом

3010   **toast**

то́стер

3011   **toaster**

сього́дні

Шко́ла розпочина́ється **сього́дні.**
Сього́дні День Ма́тері.
Зроби́ завда́ння **сього́дні.**

School starts today.
Today is Mothers' Day.
Do your homework today!

3012   **today**

па́льці на нозі́

3013   **toes**

Ми сидимо́ **ра́зом.**

3014   We are sitting **together.**

туале́т

3015   **toilet**

помідо́р

3016   **tomato**

гробни́ця

3017   **tomb**

за́втра

За́втра — нови́й день.
Ле́ся **за́втра** пі́де до музе́ю диви́тися на динозаврів.

Tomorrow is another day.
Lesia is going to see dinosaurs at the museum tomorrow.

3018   **tomorrow**

щи́пці

3019   **tongs**

Ду́же нече́мно пока́зувати **язи́к.**

3020   **tongue**

Він ва́жить одну́ **то́нну.**	**мигда́лики**	**інструме́нт**	**зуб**
3021 It weighs a **ton.**	3022 tonsils	3023 tools	3024 tooth
зубни́й біль	**зубна́ щі́тка**	**зубна́ па́ста**	**верх**
3025 toothache	3026 toothbrush	3027 toothpaste	3028 top
Ку́бики **повали́лися.**	Олімпі́йський **смолоски́п.**	**торна́до**	**дзи́ґа** кру́титься
3030 to **topple**	3031 torch	3032 tornado	3029 top
зли́ва	**черепа́ха**	Зено́н **ки́дає** їй м'яч.	**торка́тися**
3033 torrent	3034 tortoise	3035 to **toss**	3036 to **touch**
я **рішу́чий**	**букси́рувати**	Ле́син **рушни́к** мо́крий.	Найви́ща **ве́жа** у сві́ті.
3037 I am **tough.**	3038 to **tow**	3039 towel	3040 tower

Це **місто** близько Лесиного дому.

3041   town

Позбирай **іграшки**, будь ласка!

3042   toys

калькувáти

3043   to trace

кóлія

3044   track

трáктор

3045   tractor

мінятися

3046   to trade

Вýличний рух — бýфер до бýфера.

3047   traffic

світлофóр

3048   traffic light

слід

3049   trail

У **причéпі** кінь.

3050   trailer

пóїзд

3051   train

Вона дóбре **видресувала** Бровка.

3052   to train

волоцюга

3053   tramp

Не **топчíть** квíтів!

3054   to trample

трамплíн

3055   trampoline

Лесина мáма не **прозóра**.

3056   transparent

транспортувáти

3057   to transport

транспортéр

3058   transporter

пáстка

3059   trap

трапéція

3060   trapeze

Тітка Васили́на подоро́жує по́їздом.

3061   to travel

та́ця по́вна напо́їв

3062   tray

рубці́

3063   tread

скарб

3064   treasure

де́рево

3065   tree

Юля **тремти́ть** зі стра́ху.

3066   to tremble

рів

3067   trench

суд

3068   trial

Трику́тник ма́є три бо́ки.

3069   triangle

фо́кус

3070   trick

Вода́ **кра́пає.**

3071   to trickle

триколі́сний велосипе́д

3072   tricycle

куро́к

3073   trigger

підрі́зувати

3074   to trim

коро́тка **по́дорож**

3075   a short trip

спіткну́тися

3076   to trip

троле́йбус

3077   trolley bus

Лоша́та лю́блять **бі́гти ри́ссю** та гало́пом.

3078   to trot

кори́то

3079   trough

штани́

3080   trousers

форе́ль

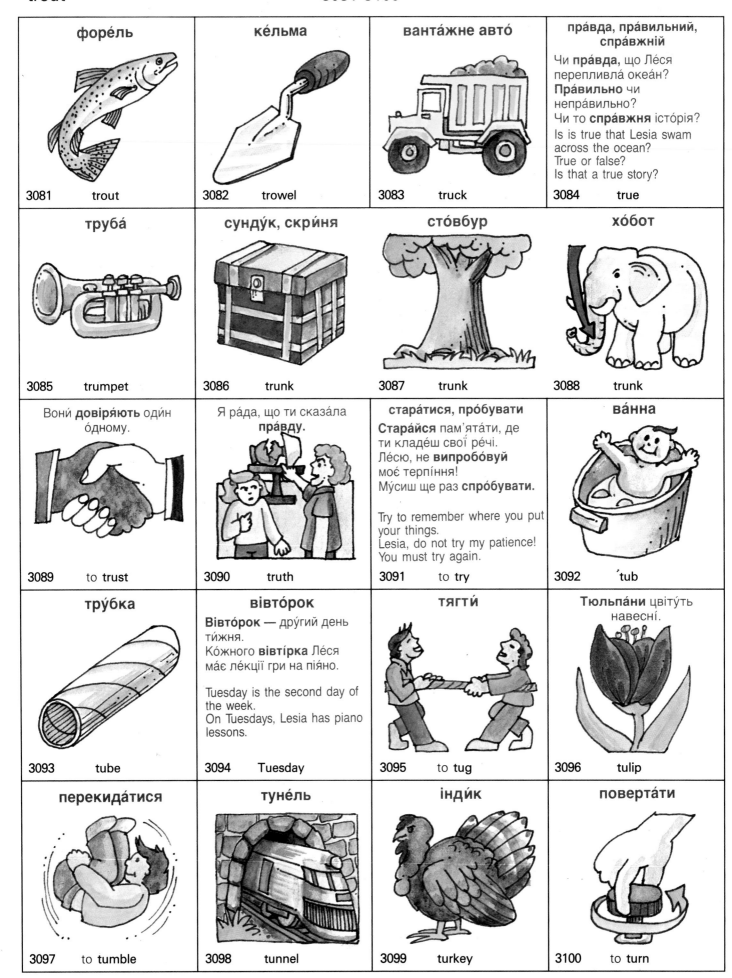

3081   trout

ке́льма

3082   trowel

ванта́жне авто́

3083   truck

пра́вда, пра́вильний, спра́вжній

Чи **пра́вда**, що Ле́ся перепливла́ океа́н?
Пра́вильно чи непра́вильно?
Чи то **спра́вжня** істо́рія?

Is is true that Lesia swam across the ocean?
True or false?
Is that a true story?

3084   true

труба́

3085   trumpet

сунду́к, скри́ня

3086   trunk

сто́вбур

3087   trunk

хо́бот

3088   trunk

Вони́ **довіря́ють** оди́н о́дному.

3089   to trust

Я ра́да, що ти сказа́ла **пра́вду.**

3090   truth

стара́тися, про́бувати

Стара́йся пам'ята́ти, де ти кладе́ш свої́ ре́чі.
Ле́сю, не **випробо́вуй** моє́ терпі́ння!
Му́сиш ще раз **спро́бувати.**

Try to remember where you put your things.
Lesia, do not try my patience!
You must try again.

3091   to try

ва́нна

3092   ´tub

тру́бка

3093   tube

вівто́рок

Вівто́рок — дру́гий день ти́жня.
Ко́жного **вівті́рка** Ле́ся ма́є ле́кції гри на пія́но.

Tuesday is the second day of the week.
On Tuesdays, Lesia has piano lessons.

3094   Tuesday

тягти́

3095   to tug

Тюльпа́ни цвіту́ть навесні́.

3096   tulip

перекида́тися

3097   to tumble

туне́ль

3098   tunnel

інди́к

3099   turkey

поверта́ти

3100   to turn

вимика́ти	**вмика́ти**	**виявля́тися, вихо́дити** **Ви́явилося**, що Мико́лка пога́ний хло́пець. Все **ви́йшло** на до́бре. Mykolka turned out to be a bad boy. Things turned out well.	Ру́зя **переверта́є** біфште́кси.
3101 to turn **off**	3102 to turn **on**	3103 to turn **out**	3104 to turn **over**
рі́па	**диск** патефо́на	**бірюзо́вий ко́лір**	**ба́шта**
3105 turnip	3106 turntable	3107 turquoise	3108 turret
черепа́ха	**і́кло**	**пінце́т**	**дві́чі, удві́чі** Ле́ся була́ в зоопа́рку **дві́чі**. Не́стір ма́є **удві́чі** бі́льше книжо́к, ніж я. Lesia has been to the zoo twice. Nestir has twice as many books as I.
3109 turtle	3110 tusk	3111 tweezers	3112 twice
галу́зка	**близнюки́**	зірки́ **бли́мають**	**крути́ти**
3113 twig	3114 twins	3115 Stars **twinkle**.	3116 to twirl
скру́чувати	**два**	Та́то **дру́ку́є** на маши́нці ці́лий день.	**друка́рська маши́нка**
3117 to twist	3118 two	3119 to type	3120 typewriter

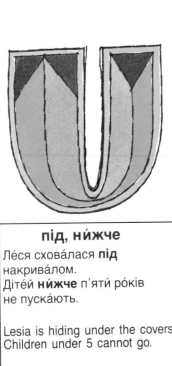

Вона́ бридка́, але́ до́бра.

3121 ugly

парасо́ль

3122 umbrella

Дя́дько

Мій **дя́дько** — це ма́мин брат.
Мій дру́гий **дя́дько** — та́тів брат.

My uncle is my mother's brother.
My other uncle is my father's brother.

3123 uncle

під, ни́жче

Ле́ся схова́лася **під** накрива́лом.
Діте́й **ни́жче** п'яти́ ро́ків не пуска́ють.

Lesia is hiding under the covers.
Children under 5 cannot go.

3124 under

розумі́ти

3125 to understand

спі́дня білизна

3126 underwear

роздяга́тись

3127 to undress

невесе́ла

3128 unhappy

Одноро́ги з'явля́ються у казка́х.

3129 unicorn

Дя́дько Юхи́м но́сить **унифо́рму.**

3130 uniform

університе́т

3131 university

виванта́жувати

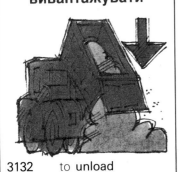

3132 to unload

відмика́ти

3133 to unlock

розгорта́ти

3134 to unwrap

стоя́чий

3135 upright

догори́ нога́ми

3136 upside-down

Ма́ма **вжива́є** пе́рець до ва́рення.

3137 to use

Вона́ вже **зужила́** ввесь пе́рець.

3138 to use up

Ду́же **прида́тний** но́жик.

3139 useful

Вака́ції на со́нці.

3140   vacation

ви́пари

3141   vapor/vapour*

Андрі́й **лаку́є** де́рево, щоб захисти́ти його́.

3142   to varnish

ва́за

3143   vase

теля́тина

3144   veal

ярина́, горо́дина

3145   vegetable

автомобі́ль

3146   vehicle

І́рка но́сить **вуа́ль** на обли́ччі.

3147   veil

ве́на

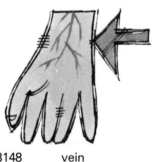

3148   vein

отру́та, отру́йний

Отру́йна гадю́ка ма́є в собі́ **отру́ту**. Де́які кома́хи та́кож **отру́йні**.

Venom is the poison of a poisonous snake. Some insects also have venom.

3149   venom

Пряма́ лі́нія згори́ вниз — це **вертика́льна** лі́нія.

3150   vertical

ду́же

Ле́ся ду́має, що її́ брат Юрко́ **ду́же** здібний. Суп бу́де гото́вий **ду́же** ско́ро.

Lesia thinks her brother Yurko is very clever. Very soon the soup will be ready.

3151   very

камізе́лька

3152   vest

ветерина́р

3153   veterinarian

же́ртва зло́чину

3154   victim

ві́део запи́сувач

3155   video recorder

Як не слід ужива́ти **відеострі́чку.**

3156   video tape

краєви́д, то́чка зо́ру

Коли́ Ва́рка й Ле́ся були́ на та́борі, вони́ ба́чили га́рний **краєви́д** з верха́ гори́.

When Varka and Lesia went camping, they had a nice view from the top of the mountain.

3157   view

село́

3158   village

лиходíй  3159 villain	Виногрáд ростé на **лозí**. 3160 vine	Лéся лю́бить додавáти **óцет** до смáженої картóплі. 3161 vinegar	**фія́лка** 3162 violet
скри́пка 3163 violin	**Вíза** потрíбна для пóдорожі закордóн. 3164 visa	**ви́дний, ви́димий** Сьогóдні хмáрно й зірки́ лéдве **ви́дні.** Неви́дима люди́на не **ви́дима** зóвсім. There are many clouds tonight and the stars are barely visible. The invisible man is not visible at all. 3165 visible	Ромáн **відвíдує** йогó хвóру тíтку. 3166 to visit
заборóло 3167 visor	**лексикóн, запáс слів** Той, хто мáє дóбрий **лексикóн,** знáє багáто слів. Важли́во мáти дóбрий **запáс слів.** Someone who has a good vocabulary knows many words. A good vocabulary is very important. 3168 vocabulary	**гóлос** 3169 voice	**вулкáн** 3170 volcano
волейбóл 3171 volleyball	**добровóлець** 3172 volunteer	**блювáти** 3173 to vomit	**голосувáти** 3174 to vote
ви́борець 3175 voter	**голоснí** а, е, и, і, о та у — це **голоснí** бýкви українíнської абéтки. A, E, I, O, U and Y are the only vowels in the alphabet. 3176 vowel	Дóвга морськá **пóдорож.** 3177 voyage	**ґриф** 3178 vulture

Яcько побрíв у вóду. 3179 to wade	**вáфля** 3180 waffle	**віз** 3181 wagon
репетувáти 3182 to wail	**стан** 3183 waist	**Ліля чекáє на автóбус.** 3184 to wait	**Мáма йогó бýдить.** 3185 to wake
іти́, ходи́ти 3186 to walk	**стінá** 3187 wall	**гаманéць** 3188 wallet	**волóський горíх** 3189 walnut
морж 3190 walrus	**чарівнá пáличка** 3191 wand	**мандрувáти** 3192 to wander	**хотíти** Хто хóче ще кáші? Тáто хóче, щоб Лéся помоглá ми́ти пóсуд. Вонá хóче помогти́, алé немá води́. Who wants more cereal? Dad wants Lesia to help wash the dishes. She wants to help but there is no water. 3193 to want
Лéся ненáвидить війнý. 3194 war	**óдяг** 3195 wardrobe	**склад** 3196 warehouse	**тéпло** 3197 warm

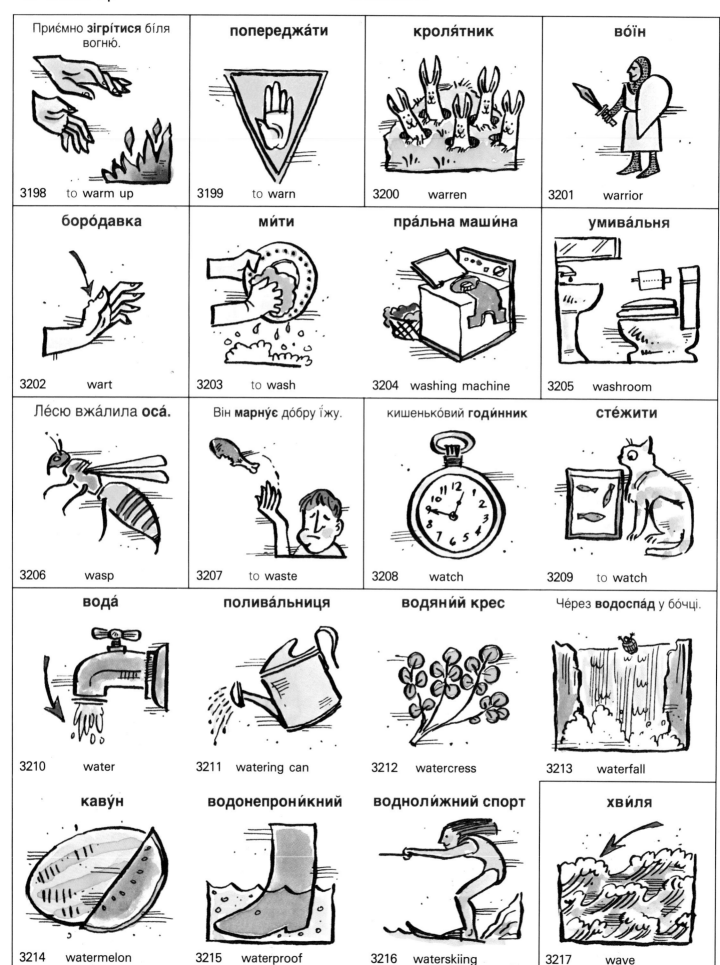

Приємно **зігрітися** біля вогню.	**попереджáти**	**кролятник**	**воїн**
3198 to **warm up**	3199 to **warn**	3200 warren	3201 warrior
борóдавка	**мити**	**прáльна машина**	**умивáльня**
3202 wart	3203 to wash	3204 washing machine	3205 washroom
Лéсю вжáлила **осá.**	Він **марнýє** дóбру їжу.	кишенькóвий **годинник**	**стéжити**
3206 wasp	3207 to waste	3208 watch	3209 to watch
водá	**поливáльниця**	**водяний крес**	Чéрез **водоспáд** у бóчці.
3210 water	3211 watering can	3212 watercress	3213 waterfall
кавýн	**водонепроникний**	**воднолижний спорт**	**хвиля**
3214 watermelon	3215 waterproof	3216 waterskiing	3217 wave

Миро́ся **маха́є** дру́зям. 3218 to wave	Вона́ ма́є **хвиля́сте** воло́сся. 3219 wavy
віск 3220 wax	**слаби́й** 3221 weak

збро́я небезпе́чна
3222   weapon

одягти́, носи́ти
3223   to wear

ла́ска
3224   weasel

Яка́ **пого́да?**
3225   weather

плести́
3226   to weave

перетинча́ста ла́па
3227   web foot

вінча́ння
3228   wedding

клин
3229   wedge

середа́

Середа́ — тре́тій день ти́жня.
По **се́редах** Ле́ся вино́сить сміття́.

Wednesday is the third day of the week.
On Wednesdays, Lesia takes out the garbage.

3230   Wednesday

На горо́ді **бур'я́н.**
3231   weed

Ко́жний **ти́ждень** ма́є сім днів.
3232   week

вікенд, кіне́ць ти́жня

Ті́тка Васили́на відві́дає нас цього́ **вікéнду.**
Субо́та та неді́ля — це **кіне́ць ти́жня.**

Aunt Vasylyna will visit us this weekend.
Saturday and Sunday make a weekend.

3233   weekend

Він **пла́че,** бо він сумни́й.
3234   to weep

ва́жити
3235   to weigh

Дива́цька карти́на!
3236   weird

Ро́ма **запро́шує** свого́ дру́га до ха́ти.
3237   to welcome

крини́ця, коло́дязь	Я почува́юся до́бре.	За́хід ліво́руч, коли́ пі́вніч вгорі́.	мо́кре
3238 well	3239 I feel well.	3240 west	3241 wet

кит	при́стань	що	намочи́ти
		Що ста́лося з Му́рковою во́вною? Ле́сю, що ти зроби́ла кото́ві? Що з тобо́ю? What has happened to Murko's fur? Lesia, what did you do to your cat? What is it with you?	
3243 whale	3244 wharf	3245 what	3242 to wet

пшени́ця	ко́лесо	та́чка	стіле́ць на коле́сах
3246 wheat	3247 wheel	3248 wheelbarrow	3249 wheelchair

коли́	де	котре́?	скигли́ти
Та́ту, коли́ приїжджа́є ті́тка Васили́на? Коли́ почне́ться кіне́ць ти́жня. А коли́ це бу́де? When is Aunt Vasylyna coming, Dad? When the weekend starts. When is that?	Ми заблуди́ли, і ма́ма не зна́є де ми. Я зна́ю, де воно́, але́ не мо́жу знайти́ його́. We are lost and Mom has no idea where we are. I know where it is but I cannot find it.		
3250 when	3251 where	3252 which one	3253 to whine

бати́г	дрімлю́га	збива́чка	Коти́ ма́ють ву́са.
3254 whip	3255 whippoorwill	3256 whisk	3257 whisker

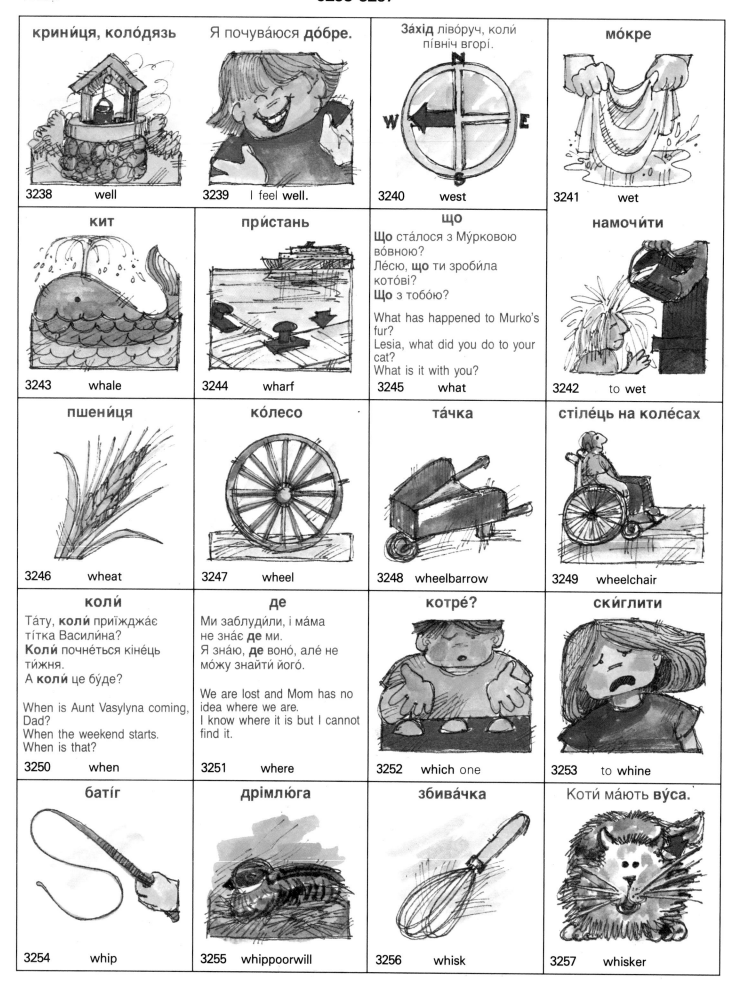

Ле́ся **шепо́че** по́друзі на ву́хо. **3258** to whisper	**свисто́к** **3259** whistle	**свисті́ти** **3260** to whistle	**бі́лий ко́лір** **3261** white
Хто пі́де? **3262** Who is going?	**чому́** Хо́чу зна́ти, **чому́** Ле́ся взяла́ мою́ крава́тку. **Чому́** вона́ не мо́же пригада́ти? I want to know why Lesia took my tie. Why can she not remember? **3263** why	**Ґніт** гори́ть пово́лі. **3264** wick	**пога́ний, злий** **3265** wicked
широ́ка **3266** wide	**жі́нка, дружи́на** **3267** wife	Лев — **ди́кий** звір. **3268** The lion is a **wild** animal.	**верба́** **3269** willow
Кві́ти **в'я́нуть**, коли́ їх забу́деш поли́ти. **3270** to wilt	**хи́трий** **3271** wily	**ви́грати** **3272** to win	Ро́стик **змо́рщився** від бо́лю. **3273** to wince
ві́тер **3274** wind	**Заведи́!** **3275** to wind	**ку́ртка, вітрі́вка** **3276** windbreaker	**вітря́к** **3277** windmill

вікно́

3278   window

пере́днє скло

3279   windshield

Вино́ є для доро́слих.

3280   wine

крило́

3281   wing

Сова́ тобі́ **морга́є.**

2182   to wink

зима́

3283   winter

Ви́три на́чисто, про́шу.

3284   to wipe

Пта́хи на **дро́ті.**

3285   wire

му́дрий, розу́мний

Дід **му́дрий** стари́й чоловік.
Чи ти ду́маєш, що це **розу́мно,** коли́ Ле́ся хо́дить в ліс сама́?

Grandfather is a wise old man. Do you think that it is wise for Lesia to walk in the forest alone?

3286   wise

загада́ти **бажа́ння**

3287   to make a wish

ві́дьма

3288   witch

чарівни́к

3289   wizard

вовк

3290   wolf

чолові́к і **жі́нка**

3291   woman

дивува́тися, ціка́витися

3292   to wonder

чудо́во

3293   wonderful

дро́ва

3294   wood

Дя́тли їдя́ть кома́х.

3295   woodpecker

ліс

3296   woods

пра́ця з де́ревом

3297   woodwork

во́вна	Він сказа́в чудне́ **сло́во**.	Є бага́то рі́зних ви́дів **пра́ці**.	**працюва́ти**
3298 wool	3299 word	3300 work	3301 to work
майсте́рня	**світ**	**черв'я́к**	**тренува́тися**
3303 workshop	3304 world	3305 worm	3302 to work out
Ма́ма **жу́риться** Ле́сею.	**ра́на**	**загорта́ти**	**віно́к** з кві́тів
3306 to worry	3307 wound	3308 to wrap	3309 wreath
розби́тий корабе́ль	кропи́в'янка, воло́ве о́чко	**боро́тися**	**викру́чувати**
3310 wreck	3311 wren	3312 to wrestle	3313 to wring
зап'я́сток	**ручни́й годи́нник**	**писа́ти**	**непра́вильний, помиля́тися, помилко́вий**
3314 wrist	3315 wristwatch	3316 to write	3317 wrong

Ду́маю, що авто́бус ї́де **непра́вильною** доро́гою. **Непра́вильно** є шахрува́ти та бреха́ти.

I think our bus is going the wrong way.
It is wrong to cheat and to lie.

	рентґе́н 3318 X-ray	ксилофо́н 3319 xylophone	До́сить мала́ **я́хта.** 3320 yacht
У нас га́рний **двір.** 3321 yard	позіха́ти 3322 to yawn	ще оди́н **рік** 3323 year	крича́ти 3324 to yell

жо́втий ко́лір

3325 yellow

так

Так, Вірджі́ніє, Са́нта Кла́ус існу́є!
Чи **так**, чи ні, чи мо́же?
Якщо́ ка́жеш „**так**“, то будь пе́вний.

Yes, Virginia, there is a Santa Claus.
Is it yes, is it no, or is it maybe?
If you say yes, you had better be sure.

3326 yes

учо́ра

Ле́ся хворі́ла **вчо́ра**, бо з'ї́ла бага́то моро́зива. Що ти роби́в **учо́ра?**

Yesterday Lesia was sick from eating too much ice cream. What did you do yesterday?

3327 yesterday

поступа́тися

3328 to yield

жовто́к яйця́ 3329 yolk	**молоди́й** 3330 young	Цю **зе́бру** намалюва́ла Ле́ся. 3331 zebra	**зе́ро, нуль** 3332 zero
за́стібка-бли́скавка 3333 zipper	**зоопа́рк** 3334 zoo	роби́ти „сві́чку“ 3335 to zoom	**Зукі́ні** — це Ле́сине оста́ннє сло́во. 3336 zucchini

А

Б

Г

T

Щ

Я